II0635023

Les Six Compagnons
et le château maudit

Paul-Jacques Bonzon

Les
Six Compagnons
et le
château maudit

HACHETTE

Chapitre 1

Une lettre
qui n'arrive pas

Il faisait chaud et lourd. Je revenais de promener mon chien Kafi sur les bords du Rhône quand, de loin, je reconnus le Tondu.

C'était un de mes camarades, un des Six compagnons de la Croix-Rousse, ce quartier de Lyon où nous habitions. On l'appelait le Tondu parce qu'une étrange maladie l'avait laissé complètement chauve. Il était reconnaissable, de loin, à sa longue silhouette toute en jambes et à son béret basque qui ne quittait jamais son crâne, lisse comme une boule de billard.

Lui aussi m'avait aperçu. Il lança, en venant à ma rencontre :

« Alors ?... tu as des nouvelles ? »

Je secouai la tête :

« Toujours rien !

— C'est impossible ! Elle avait promis d'écrire dès son arrivée !

— Tu penses ! Si j'avais reçu quelque chose, je ne l'aurais pas gardé pour moi. »

Le Tondu resta perplexe.

« Je ne comprends pas. Mady est une chouette fille, tout le contraire d'une lâcheuse. Si tu n'as rien d'elle, c'est que sa lettre s'est perdue. »

Je commençais à me le demander moi aussi. Une semaine, en effet, s'était écoulée depuis le départ de Mady. Sa mère avait loué, pour toutes deux, un petit logement à Meillerie, au bord du lac de Genève. Elles devaient y rester un mois. Notre camarade avait promis, sitôt arrivée là-bas, de chercher un endroit où nous pourrions nous installer, à notre tour, afin de passer une partie des vacances avec elle.

Pourquoi n'écrivait-elle pas ? Une lettre se perd rarement. Fallait-il supposer que Mady ne tenait pas à notre compagnie ?

« Non, déclara tout net le Tondu. Elle a certainement écrit. La lettre n'est pas arrivée... ou alors elle n'a encore rien trouvé pour nous. »

Là-dessus, il me serra la main et s'en alla, les bras ballants, désœuvré, son béret vissé sur la tête, la petite pointe, au sommet de la coiffure, semblable à une minuscule queue de melon.

Je grimpai lentement la rue de la Petite-Lune où j'habitais, une rue en arc de cercle et très en pente, comme toutes celles de la Croix-Rousse. À quoi bon me dépêcher ? C'étaient les vacances ; j'avais le temps de m'ennuyer, entre quatre murs. Tout en marchant, avec Kafi qui me suivait pas à pas, je pensais à Mady. En pénétrant dans la maison, je jetai un coup d'œil vers la loge de la concierge. Le facteur avait-il déjà fait sa tournée du soir ? La concierge n'était pas visible, derrière ses rideaux.

Je grimpai chez nous, au quatrième. Ma mère,

occupée à laver le carrelage de la cuisine, me lança, en reconnaissant mon pas :

« Attention à tes pieds, Tidou... et toi à tes pattes, Kafi ! »

Mais, en traversant la cuisine avec précaution, j'aperçus une lettre sur le coin du buffet.

« Une lettre ?... Qui nous a écrit ? »

Maman se redressa et sourit.

« Pour toi, Tidou !... C'est celle que tu attendais. »

Je l'emportai aussitôt dans ma chambre. C'était une lettre de Mady en effet. Elle portait le tampon de la Haute-Savoie. Dans ma hâte à la décacheter, j'écornai les deux feuillets que contenait l'enveloppe.

Meillerie, 9 juillet

Cher Tidou,

Tu dois t'étonner de mon silence. J'avais promis de vous écrire dès mon arrivée. Un stupide petit accident a causé ce retard. Figure-toi que, le soir même de notre arrivée, maman s'est foulé la cheville dans l'escalier de la maison. Pendant quatre jours, elle a été incapable de se déplacer. J'ai dû m'occuper de tout, du ménage, de la cuisine, des commissions.

Bien sûr, j'aurais quand même pu trouver quelques instants pour écrire. Je ne voulais pas vous décevoir. Je m'étais juré de vous trouver de quoi vous loger... Enfin, c'est fait, non sans peine. L'été, les gens du pays s'arrangent pour louer (à bon prix) tout ce qui, de près ou de loin, ressemble à une maison. Par chance, sur le quai du port, j'ai

7

*fait la connaissance d'un vieux pêcheur. Je lui ai
parlé de vous. Il a trouvé quelque chose de « formidable » (comme dirait le Tondu). Il ne s'agit ni
d'une maison, ni d'une grange, ni d'une cabane,
mais d'un ancien garage à bateaux. je suis allée
le voir, un peu en dehors du village, au bout du
port. C'est un abri en tôle, au bord de l'eau bien
entendu, mais pas humide et assez vaste pour vous
six. Le vieux pêcheur dit qu'on pourrait y installer
un moyen de chauffage pour la cuisine. (Il a même
promis de vous dénicher un vieux fourneau.) Vous
voyez, tout s'arrange. On ne pouvait espérer
mieux... et par-dessus le marché, il ne vous en
coûtera absolument rien.*

*Quelle chance ! Nous allons passer ensemble,
toujours pour parler comme le Tondu, des
vacances formidables ! Vous verrez comme le lac
est beau. Dans la journée, il est sillonné d'une
multitude de voiles blanches. Le soir, les couchers
de soleil, sur l'eau, sont extraordinaires. La nuit,
la rive suisse apparaît illuminée comme pour une
fête. C'est merveilleux !*

Venez vite ! Je vous attends avec impatience.

Votre Mady.

P.S. : Bien entendu, Tidou, tu emmènes Kafi.

La lecture achevée, je bondis de joie et montrai
la lettre à maman, au courant de nos projets de
rejoindre Mady. Les mots « abri en tôle » la firent
frémir.

« Est-ce possible, Tidou ? Coucher pour ainsi
dire à la belle étoile, dans l'humidité des bords du
lac ! »

Je lui fis remarquer que la tôle était préférable à

une mauvaise toiture en planches laissant passer les courants d'air et que, Mady elle-même le précisait, l'endroit était sec.

« Évidemment, fit-elle en souriant, toi, pourvu que tu partes, c'est l'essentiel. Tu trouveras toujours tout parfait. Moi, je ne peux rien permettre sans l'avis de ton père. Tu lui en parleras quand il rentrera du travail. »

Je sautai au cou de maman et la remerciai en l'embrassant. C'est que je la connaissais. Quand elle s'en remettait à mon père pour prendre une décision, cela voulait dire qu'elle acceptait.

Alors, sans plus attendre, je repartis avec Kafi prévenir mes camarades, d'abord Gnafron qui n'habitait pas loin de chez moi, au-dessus de la boutique d'un cordonnier (ce qui lui avait valu ce surnom[1]), ensuite Corget, le chef de la bande, puis Bistèque, le fils du garçon boucher, la Guille, le fantaisiste de l'équipe, et enfin, le Tondu qui, à coup sûr, allait m'accueillir en jetant son béret en l'air pour mieux montrer sa joie et en hurlant : « Formidable ! formidable ! formidable !... »

---

1. Gnafron : marionnette du guignol lyonnais, représentant un cordonnier vêtu d'un tablier de cuir.

Chapitre 2

Un mystérieux château

Nous faisions le voyage en deux jours, à cause de nos vieux vélos qui ne nous permettaient pas des moyennes de coureurs professionnels..., à cause aussi de notre matériel qui pesait lourd sur nos porte-bagages... et de Kafi qu'il fallait trimbaler dans la remorque, construite exprès pour lui.

La veille, nous avions roulé toute la journée, couvrant une centaine de kilomètres.

Ce matin, après une nuit passée dans le foin d'une grange, nous étions repartis gaillardement en direction du lac qui était apparu soudain, au sommet d'une colline, étendue immense et miroitante.

Alors, nous avions fait halte, pour casser la croûte, face au Léman, puis gaiement repris la route, heureux de toucher bientôt au but. Vers deux heures de l'après-midi, nous traversions la célèbre station d'Évian, au moment où les baigneurs prenaient leur café aux terrasses des hôtels et beaucoup avaient ri en regardant Kafi, dressé dans sa remorque, pareil à un ministre saluant la foule.

Nous quittions à peine cette charmante ville quand, brusquement, Gnafron mit pied à terre. La chaîne de son vélo venait de se briser net. C'était le cinquième incident mécanique depuis le départ de Lyon mais, jusque-là, les machines avaient toujours pu être remises en état. Toute la bande s'arrêta.

Le Tondu (le mécanicien de l'équipe) examina la chaîne et fit la moue.

« L'axe d'un maillon a lâché, constata-t-il. On peut toujours essayer de raccourcir la chaîne... mais je crains qu'ensuite elle ne soit trop courte. À combien sommes-nous de Meillerie ? »

Corget consulta la vieille carte qu'il avait emportée, dans sa sacoche.

« Sept ou huit kilomètres, pas davantage.

— Nous pourrions peut-être finir le trajet à pied, proposa Bistèque.

— Je ne m'en sens pas le courage, soupira la Guille ; depuis deux jours que je pédale, mes jambes sont en coton.

— Alors, remontez sur vos vélos et ne m'attendez pas, dit Gnafron, je vous rejoindrai comme je pourrai.

— Ah ! non, protesta le Tondu, pas question de t'abandonner. Nous arriverons ensemble à Meillerie... sur les genoux s'il le faut. »

La bande approuva vivement. Il n'était pas dans ses habitudes de lâcher un des siens.

« Alors, attendez, demanda le Tondu, je vais tout de même essayer de rafistoler la chaîne. »

Mais, à cause du bas-côté, très étroit, de la route, nous risquions d'être accrochés par les nombreuses voitures qui circulaient dans un sens ou dans l'autre.

« Entrons là », dit Gnafron.

Il désignait le portail, grand ouvert, d'une des magnifiques propriétés riveraines du lac. De chaque côté, s'élevaient de gros piliers de pierre, l'un d'eux portant, gravé, le nom du domaine : *Bella Vista*[1]. Cachée par un rideau de grands arbres, la villa n'était pas visible, mais l'entrée du parc, soignée, aux allées gravillonnées, fit hésiter le Tondu.

« Bah ! déclara Gnafron. Nous ne faisons rien de mal... D'ailleurs, personne ne nous verra. »

À quelques mètres à l'intérieur du parc, au bord de la grande allée, le Tondu entreprit donc la réparation, difficile, avec des outils de fortune.

Nous l'encouragions de notre mieux, essayant de l'aider, quand un bruit de pneus, crissant sur les petits cailloux, nous fit dresser la tête. Une luxueuse voiture américaine débouchait du fond du parc en direction de la sortie.

« Ne bougeons pas, murmura Corget, le chauffeur comprendra bien pourquoi nous nous sommes mis à l'abri. »

La voiture arriva à notre hauteur. Son conducteur donna un coup de frein et, sautant à terre, nous interpella :

« Que faites-vous ici ?... Vous n'avez pas vu la pancarte : PROPRIÉTÉ PRIVÉE ? »

C'était un homme d'une quarantaine d'années, assez petit de taille, mais de forte corpulence. Il portait un élégant complet à rayures.

---

1. *Bella Vista : Belle Vue.*

« Excusez-nous, monsieur, fit Corget poliment, nous avons des ennuis avec un de nos vélos. Nous sommes simplement entrés, à cause de la circulation, sur la route.

— En voilà une raison !... Ramassez votre attirail et allez vous installer ailleurs. »

Sans mot dire, le Tondu rassembla ses outils éparpillés et je sifflai Kafi, parti explorer le parc. Mais au même moment, une toute jeune fille, assise sur le siège arrière de la voiture en compagnie d'une femme élégante, ouvrit la portière et descendit à son tour. À peu près de l'âge de Mady, elle était vêtue d'un pantalon de flanelle blanche et d'un léger pull-over, blanc également. Elle nous regarda, puis se tourna vers le conducteur de la voiture.

« Monsieur Reinbach, dit-elle, ces garçons ne nous dérangent guère, laissons-les achever leur petite réparation. »

L'homme eut un mouvement d'épaules.

« Vous n'avez donc pas compris ? Sous un prétexte comme celui-ci, des inconnus s'introduisent dans une propriété pour examiner les lieux... et deux jours après, on s'aperçoit que la maison a été cambriolée.

— Oh ! protesta la jeune fille, ces garçons n'ont pas des têtes de voleurs. Ils sont réellement en panne. Regardez ce vélo, il n'a plus de chaîne ! »

Et, s'approchant de nous :

« Où alliez-vous ?

— Nous venons de Lyon, expliqua Corget. Nous sommes partis hier. Nous allons passer quelques jours au bord du lac, à Meillerie.

— À Meillerie ? reprit l'homme. C'est à deux pas d'ici. Vous n'avez qu'à finir le chemin à pied.

— Mais, reprit la jeune fille, ils doivent être très fatigués. »

Elle se pencha alors sur le vélo de Gnafron, et ajouta :

« Attendez, je vais vous envoyer quelqu'un qui vous aidera. »

Elle partit en courant vers le fond du parc, où les arbres cachaient l'habitation, et revint avec un jeune homme en bleu de travail.

« Victor, demanda-t-elle, vous seriez très gentil d'aider ces garçons qui ont des ennuis avec leurs vélos. »

Là-dessus, voyant que l'homme au complet rayé s'impatientait, elle remonta dans la voiture qui démarra aussitôt et quitta le parc en direction d'Évian.

L'auto disparue, nos regards se reportèrent sur Victor. Sur le coup, en le voyant arriver avec la jeune fille, je ne lui avais pas donné plus de quinze ou seize ans, à cause de sa taille et de sa minceur, mais il était certainement plus âgé. Il avait le visage osseux et les cheveux très noirs, comme beaucoup de Savoyards, avec une mine souriante et sympathique.

« Ta chaîne est fichue, dit-il carrément à Gnafron. Mais je vais tout de même te dépanner. Attends-moi ici. »

Il lui donna une bourrade amicale dans le dos et partit en courant. Cinq minutes plus tard, il reparut, avec une caisse à outils et une vieille chaîne rouillée.

« Ce n'est pas pour dire, fit-il en riant, les poings sur les hanches, mais vous avez tous de drôles d'engins. Si vous comptez faire le tour de

France avec ça, vous pouvez vous lever de bonne heure. »

Il s'agenouilla devant le vélo de Gnafron et se mit à l'œuvre en sifflotant.

« Vous venez de loin ? demanda-t-il au bout d'un moment.

— De Lyon... et nous allons à Meillerie. »

Il lâcha la pince qu'il tenait et se redressa.

« À Meillerie ?... C'est justement mon village. Vous êtes déjà venus au bord du lac ? »

Il se mit à parler, à nous expliquer qu'habituellement il travaillait dans une fabrique de caisses d'emballage, mais qu'il adorait la mécanique et que, cet été, il s'était fait embaucher à *Bella Vista* pour s'occuper des autos et surtout pour entretenir et piloter le yacht.

« Si vous le voyiez, ce yacht, fit-il avec un sifflement d'admiration, il n'y en a sûrement pas deux pareils sur le Léman. »

(Il prononçait le mot « yacht » d'une si curieuse façon qu'il en avait plein la bouche, comme s'il mâchait de la paille.)

« Ton patron ne paraît pas commode », fit la Guille en le tutoyant sans même s'en rendre compte.

L'autre haussa doucement les épaules d'un air désabusé :

« Bah ! un patron est toujours un patron... D'ailleurs celui que vous venez de voir n'est pas le seul habitant de *Bella Vista*. Il y a aussi le père de Saga.

— Saga ?

— La petite demoiselle qui est venue me chercher pour vous dépanner. Elle est gentille, pas fière du tout, comme vous avez vu. Si elle tombait à l'eau, je me jetterais dans le lac tout habillé pour la sauver... Pourtant, je ne sais pas nager. »

Il éclata de rire, puis se remit au travail et, tout en continuant de parler, replaça la chaîne réparée sur le pédalier.

« Voilà ! Vous pouvez repartir pour deux cents kilomètres au moins. »

Corget sortit son porte-monnaie.

« Ah ! non, fit-il, vous me fâcheriez tout rouge. D'ailleurs, nous aurons sûrement l'occasion de nous revoir si vous restez quelque temps à Meillerie. Vous n'aurez qu'à demander Totor, tout le monde me connaît. Bonnes vacances... et à votre chien aussi ! »

Là-dessus, au lieu de nous tendre sa main pleine de graisse, il présenta son coude et il s'en alla avec ses outils.

Le bavardage amusant du sympathique Totor nous avait fait oublier l'accueil de son patron. Reposés par cet arrêt forcé, nous nous sentions à nouveau décontractés devant le paysage, si beau sur ces derniers kilomètres. De la route, qui longeait le lac, on découvrait, à chaque détour, des décors fantastiques.

Un quart d'heure plus tard, nous arrivions à Meillerie, un vieux village bâti en cascade au bord du Léman. Comme convenu, Mady nous attendait sur le quai du port. L'air du lac et le soleil l'avaient déjà brunie. Sa mine était superbe. Elle serra chaleureusement nos mains et Kafi se dressa contre elle pour lui lécher le visage.

« Excusez maman, dit-elle, elle voulait

m'accompagner pour vous accueillir, mais elle souffre encore de sa cheville. »

Puis, se tournant vers le lac :

« Hein ! que pensez-vous de ce paysage ? Jamais je n'ai rien vu d'aussi beau. Nous allons passer des vacances formidables... n'est-ce pas, le Tondu ? »

Déposant nos vélos, nous nous assîmes sur le parapet pour respirer l'air frais, qui montait du lac. Mady nous questionna sur notre voyage.

« Je vous attendais plus tôt, dit-elle, il ne vous est rien arrivé en route ? »

Gnafron raconta l'incident de la chaîne, notre arrêt à l'entrée d'une belle propriété qui portait le nom de *Bella Vista*.

« *Bella Vista* ? reprit Mady, intriguée.

— Comment ? fit Corget, tu connais cette villa ?

— Dis plutôt ce château, rectifia-t-elle, le plus beau de toute cette rive.

— Tu l'as donc vu ? On ne l'aperçoit pourtant pas de l'entrée du parc.

— Non, mais le vieux pêcheur, celui qui s'est occupé de vous trouver un toit, m'a emmenée, hier, faire une longue promenade en barque. Côté lac, on l'aperçoit en entier, splendide... mais on dit qu'il porte malheur à ceux qui l'habitent. Voici quelques années, un écrivain qui l'avait acheté pour écrire ses livres en paix, y a été trouvé mort... Plus tard c'est un riche Anglais qu'on a découvert noyé dans le petit port particulier, au pied du château. Notre logeuse dit qu'un malheur pourrait bien arriver aussi aux nouveaux propriétaires, installés cet été. »

Toute la bande éclata de rire.

« Ce que les gens sont bêtes ! fit Gnafron en haussant les épaules.

— En tout cas, Mady, ajouta Bistèque, ce qui se passe là-bas ne nous intéresse pas, conduis-nous plutôt à notre "château" à nous. »

Elle nous entraîna au bout du quai et, de là, sur un étroit sentier si rocailleux que nous dûmes porter nos vélos. Le hangar en tôle s'élevait deux cents mètres plus loin. Il ressemblait à un énorme bidon, coupé en deux dans le sens de la longueur et posé horizontalement au bord de l'eau.

« Formidable ! » s'écria le Tondu.

La tôle ondulée était mangée par la rouille, mais sans aucun trou. Deux portes s'ouvraient dans l'abri, une toute petite, côté rive, et une très large, côté lac, par où, autrefois, on faisait glisser le bateau vers l'eau. Toutes deux fonctionnaient encore convenablement. Comme l'avait écrit Mady, c'était la bicoque idéale. Nous y serions tranquilles et au large. Bistèque, notre cuisinier, n'aurait pas de problème. Grâce au vieux pêcheur, dont Mady avait fait la conquête, un petit poêle monté sur trois pieds était déjà installé.

Dire que nous avions presque accusé Mady de ne pas souhaiter notre venue ! En attendant notre arrivée, elle avait tout arrangé, balayé le plancher, apporté des billots de bois qui nous serviraient de sièges, installé une caisse renversée, en guise de table, et préparé un copieux goûter. C'était vraiment la plus chouette fille.

« Si ces messieurs veulent bien passer à table, dit-elle en riant, ces messieurs doivent avoir une faim de loup. »

Chacun trouva place autour de la caisse et Kafi vint s'asseoir à côté de moi, reniflant le gâteau que la mère de Mady avait confectionné pour nous.

Alors, devant la porte largement ouverte sur le lac, la bande, à nouveau au complet, se mit à bavarder. Mady voulait savoir ce que nous avions fait à la Croix-Rousse depuis qu'elle nous avait quittés. Elle posait question sur question. Soudain, elle s'arrêta, le doigt tendu vers le lac.

« Oh ! regardez !... cette tache blanche, là-bas...

— Qu'est-ce que c'est ?

— Le yacht de *Bella Vista*.

— Nous en avons entendu parler par le nommé Totor. D'après lui, c'est un beau bateau... mais, de si loin, on ne distingue pas grand-chose.

— Il s'appelle *Caprice,* expliqua Mady. L'autre jour, il est passé tout près de la rive. J'ai eu le temps de le détailler. Chaque fois que je l'aperçois, je pense à *Bella Vista.* »

Gnafron pouffa de rire encore une fois.

« Allons, Mady, tu ne vas tout de même pas te laisser prendre aux histoires qu'on raconte sur ce château ? »

Notre camarade garda un air sérieux qui nous surprit.

« Pensez de moi ce que vous voulez, mais ce bateau m'intrigue. Une nuit, je m'étais levée pour renouveler les compresses sur la cheville enflée de maman, et je l'ai aperçu qui croisait au loin. Cela m'a paru bizarre.

— Bah ! fit la Guille, les bateaux sont faits pour naviguer... même la nuit, surtout sur un tel lac.

— Il se livre peut-être à la contrebande entre la rive suisse et la rive française, avança Corget, cela n'aurait rien de tragique. »

Mady sourit et n'ajouta rien. Alors, la conversation reprit et personne ne s'occupa plus du yacht qui poursuivait lentement sa promenade vers le bout du lac.

Chapitre 3

Sur le lac, une nuit

Le soir était d'un calme parfait. Pas le moindre souffle de vent, pas une ride sur le lac.

« Si nous faisions un tour sur l'eau, proposa le Tondu, puisque le père Tap-Tap nous permet d'utiliser sa barque quand nous en avons envie ? »

Le père Tap-Tap, le pêcheur ami de Mady... notre ami aussi à présent, n'était pas aussi vieux qu'il le paraissait, mais il ne se rasait pas souvent et les coiffeurs auraient eu tort de compter sur lui pour s'enrichir. À Meillerie, on le surnommait le père Tap-Tap, parce qu'il détestait les bateaux à moteur. À cause de leur bruit, il les appelait des « tap-tap-tap ». Il prétendait que leurs machines asphyxiaient les poissons du Léman avec le pétrole, l'essence et le mazout qu'ils répandaient à la surface. Il avait juré de ne jamais naviguer, jusqu'à sa mort, que sur sa barque à voile.

Outre cette barque à voile, pour la pêche, il possédait un canot à rames qu'il n'utilisait plus guère et qu'il nous prêtait volontiers.

Ce canot faisait notre bonheur. Le père Tap-Tap nous avait appris à manier les avirons, à godiller, à manœuvrer et nous avions déjà effectué, seuls, de petites « croisières » sur la rive française (ce qui nous avait d'ailleurs valu de belles ampoules au creux des mains). Cependant, nous ne nous étions encore jamais risqués à sortir la nuit. La proposition du Tondu déchaîna l'enthousiasme.

« D'accord, approuva Corget... mais souvenez-vous de ce qu'a dit le père Tap-Tap l'autre jour. Naviguer la nuit sur le lac, sans éclairage, n'est pas très prudent. Nous n'avons qu'une lampe électrique, la pile sera vite usée.

— Alors, on renonce ? s'inquiéta Bistèque.

— Non, mais nous pourrions attendre une heure ou deux. À ce moment-là tous les bateaux, encore sur l'eau, auront regagné la rive. Les risques d'un abordage seront moins grands.

— Fameuse idée ! approuva la Guille. Tout le lac nous appartiendra. Je propose même qu'on s'écarte très loin de la rive pour connaître l'impression du large.

— Et Mady ? fit le Tondu.

— Évidemment, elle viendrait avec plaisir, mais je doute que sa mère la laisse se promener sur l'eau, en pleine nuit. »

Sans Mady, la bande des Compagnons de la Croix-Rousse n'était jamais vraiment au complet. Depuis certain été où elle avait passé ses vacances avec nous, dans mon village natal de Reillanette, en Provence, Mady était notre inséparable camarade. Elle avait participé à toutes nos aventures.

« Bah ! fit Gnafron (le petit Gnafron comme on l'appelait, à cause de sa taille), nous ne sommes à

Meillerie que depuis une semaine ; nous trouverons sûrement le moyen de l'emmener un autre soir. »

En attendant le moment de partir, nous nous assîmes sur les rochers de la rive pour regarder la nuit tomber doucement sur le lac. De nombreuses voiles claires piquaient encore l'immense étendue calme. Le vent était si faible qu'elles semblaient presque immobiles. Un gros bateau de touristes, déjà tout illuminé, passa devant nous, se dirigeant vers la Suisse. Puis, ce fut la vraie nuit et on ne distingua plus que les innombrables et minuscules lumières bordant la rive opposée.

« Tous les bateaux sont rentrés, dit Corget, nous pouvons partir. »

Le père Tap-Tap nous avait permis d'amarrer le canot dans une petite crique bien abritée, près de notre hangar. L'un après l'autre, nous descendîmes dans l'embarcation et, selon son habitude, Kafi s'installa à l'avant, très droit, pareil à une figure de proue. Le Tondu s'empara des avirons et le canot s'écarta de la rive. La nuit, sans étoiles, était déjà si sombre que, très vite, le rivage s'évanouit derrière nous. Seul, demeurait visible le feu rouge du port qui nous permettrait de nous guider pour le retour.

La Guille, notre poète, se sentait au comble de la joie. Il se dressa, sur un banc, pour déclamer *Le Lac* de Lamartine, que nous avions appris en classe l'hiver dernier. Mais il s'accompagnait de tels gestes que le canot se balança dangereusement, et Corget invita notre poète à s'asseoir.

Cependant, peu à peu, à mesure que nous nous éloignions, les rires et les voix se turent. Le grand silence qui nous enveloppait si complètement nous impressionnait. Kafi lui-même vint se réfugier dans mes jambes, vaguement inquiet. Quelle heure pouvait-il être ?... onze heures ? minuit ?

Insensiblement, un rideau de brume se tendit sur le lac et ce fut l'isolement complet.

« Bah ! fit Bistèque, à une heure pareille, nous ne risquons guère de rencontrer un autre bateau. Si nous entendons un bruit de moteur, nous ferons des signaux avec la lampe électrique. »

Je ne sais pourquoi, tout en caressant Kafi couché à mes pieds, je pensai au yacht de *Bella Vista,* à tout ce que nous avait raconté Mady sur le château. Il faut croire que les autres Compagnons y pensaient aussi, car Gnafron se mit à parler de Totor.

« Il ne doit pas avoir le temps de venir à Meillerie, fit-il, nous ne l'avons jamais rencontré sur le port. J'aurais aimé le revoir ; il était sympa. »

Mais bientôt la brume s'épaissit au point que Corget jugea prudent d'ordonner le retour. En vrai capitaine, il avait emporté sa boussole. Il nous suffirait de mettre le cap droit au sud pour rejoindre Meillerie. Bistèque, qui tenait les avirons, me céda sa place.

« Rame lentement, Tidou », me lança la Guille, peu pressé de rentrer.

Nous avancions depuis un quart d'heure à peine quand, tout à coup, Kafi, qui avait repris sa place sur la minuscule plate-forme à l'avant, se mit à aboyer. Corget l'invita à se taire ; Kafi n'écouta pas. J'essayai de le calmer à mon tour, en vain. Penché sur la gauche, il avait certainement vu ou entendu quelque chose dans cette direction.

« Nous avons dû frôler un flotteur à filets qui l'a

intrigué, dit Corget. Ce n'est pourtant pas la première fois que nous en rencontrons.

— Justement, fis-je aussitôt, ce n'est pas normal qu'il aboie. Gnafron, allume la lampe ! »

Gnafron promena le faisceau lumineux autour de la barque, sur l'eau et, soudain, poussa un cri :

« Un homme !... nous venons de le dépasser. Vite, Tidou, rame en arrière ! »

C'était un homme, en effet. Il était accroché à un de ces flotteurs métalliques en forme de double cône, qui servent de repère aux pêcheurs pour leurs filets. Il paraissait sans vie. Seuls, ses bras et sa tête émergeaient.

« Hissons-le à bord, cria Corget... mais attention à ne pas faire chavirer le canot. Tidou, présente la barque par l'arrière, ce sera plus facile. »

Je ramai lentement, en marche arrière (manœuvre peu commode pour un débutant), puis je freinai en pesant sur les avirons.

« Attention ! cria Corget. Ne lâchons pas le corps ; il coulerait à pic et ce serait fini ! »

Pour être plus sûr de sa prise, la Guille saisit l'inconnu par les cheveux tandis que Corget et le Tondu soutenaient le corps par les épaules. Mais au moment de sortir le noyé hors de l'eau, Bistèque et la Guille durent leur venir en aide tandis que Gnafron éclairait la scène avec la lampe et que je maintenais le canot en bonne position.

Le malheureux fut étendu au fond de la barque, après qu'un des deux bancs eut été enlevé. Alors, Gnafron braqua la lampe électrique sur son visage.

« Mais... mais... s'écria Bistèque, c'est Totor ! »

Chacun se pencha sur le corps. Aucun doute,

nous reconnaissions le garçon qui nous avait dépannés dans le parc de *Bella Vista*.

« Il a probablement bu une bonne "tasse", dit Corget, mais puisqu'il flottait encore, accroché à la bouée, il n'est peut-être qu'évanoui. » Je proposai de lui enlever ses vêtements pour le frictionner et le réchauffer, puis de pratiquer la respiration artificielle sans attendre d'avoir atteint la rive.

« D'accord, approuva Corget. D'ailleurs, à une heure pareille, nous ne trouverons personne sur le quai pour nous aider. »

La Guille et le Tondu enlevèrent leurs maillots qu'ils bouchonnèrent pour frotter énergiquement le malheureux. Après quoi, je m'appliquai à pratiquer la respiration artificielle, telle qu'on nous l'avait apprise en classe. Mais le garçon n'avait certainement pas avalé beaucoup d'eau ; il n'en rendait pas.

« Continue, Tidou ! m'encourageait Gnafron, je suis sûr qu'il n'est pas mort. »

En effet, au bout de quelques secondes, le corps du naufragé fut agité par des tremblements. Ses muscles raidis se détendirent. Sa respiration reprit. Brusquement, il trouva la force de se redresser. Claquant des dents, il murmura :

« Que... que s'est-il passé ? »

Assis au fond de la barque, il promena sur nous un regard étonné. Il murmura encore :

« Qui êtes-vous ?

— Tu ne nous reconnais pas ? fit le petit Gnafron ; tu as réparé mon vélo, l'autre jour, dans le parc de *Bella Vista*.

— Le vélo ?... quel vélo ? »

Complètement abasourdi, il continuait de nous regarder, interrogateur. Il demanda :

« Qu'est-ce que vous faites sur le yacht ? »

Gnafron fit jouer, d'un bout à l'autre de la barque, le faisceau lumineux de sa lampe.

« Oh ! constata Totor, je ne suis plus sur le yacht, je ne comprends pas. »

Il claquait si fort des mâchoires que je jetai mon blouson sur ses épaules tandis que la Guille lui enveloppait les jambes avec le sien. Il soupira plusieurs fois, se frotta le front et, tout à coup :

« Ça y est !... je me souviens. Oui, ça me revient, je suis tombé à l'eau. »

Il fit un effort pour rassembler ses souvenirs et un sourire passa sur son visage.

« Pour de la chance, je peux dire que j'ai eu de la chance ! Dire que je ne sais pas nager !... Je suis juste tombé sur un flotteur à filets. Mon maillot s'est accroché à une pointe... Je me suis cramponné de toutes mes forces... Je sentais que je finirais par m'évanouir, à cause du froid ; alors je me répétais : "Tiens bon, Totor, tiens bon !..." et vous vous êtes trouvés là. »

Il ajouta :

« À présent, je vous reconnais. Vous êtes les gars qui arriviez de Lyon sur de vieux vélos, n'est-ce pas ?

— Oui, fit Corget, mais nous aimerions que, toi, tu nous expliques. Quand tu es tombé à l'eau, tu étais donc à bord du yacht ?

— Justement, je me demande ce qui est arrivé.

— Essaie de te rappeler.

— Le patron m'avait demandé de mettre le moteur au ralenti. J'en avais profité pour lâcher le gouvernail et prendre un peu l'air sur le pont. Après, je ne sais plus... J'ai ressenti comme un choc dans le dos... et je me suis retrouvé dans l'eau.

— Tu étais seul sur le pont ?

— Seul.

— Et tu n'as pas crié, pour qu'on te repêche ?

— Bien sûr ! J'ai appelé... Personne ne m'a entendu... ou plutôt, à cause sans doute de la brume, le yacht n'a pu me retrouver. C'est mon patron qui doit se faire du mauvais sang. Il me croit sûrement au fond du lac... Vous n'avez pas entendu le bateau quand il me recherchait ?

— Rien vu, rien entendu. À quelle heure s'est produit l'accident ?

— Heu !... entre dix et onze heures. La nuit était tombée depuis un bon moment. La brume descendait sur le lac. »

Il grelottait toujours. La lampe éclairait son visage verdâtre.

« Rentrons vite, dit Corget. Toi, le Tondu, remplace Tidou aux avirons ; je te guiderai avec la boussole. »

Le Tondu se mit à ramer de toutes ses forces. Au bout d'une demi-heure, le fanal rouge de Meillerie apparut, dans un halo, un peu sur la gauche. Pendant le trajet, Totor avait eu le temps de se reprendre.

« À quel endroit habites-tu, dans le village ? demanda Corget. Nous allons te ramener chez toi.

— Non, pas chez moi, protesta le garçon. Je ne veux pas affoler ma mère qui est seule. Ça vous ennuierait de me conduire dans votre baraque, le temps de me remettre tout à fait, de faire sécher mes vêtements ? Ensuite, je rentrerai au plus vite à *Bella Vista* rassurer mes patrons. Vous vous imaginez dans quel état ils doivent être ! »

Brave Totor ! Il ne pensait qu'au souci causé par son plongeon et oubliait déjà son émotion quand, accroché à la bouée, il attendait le secours qui ne venait pas.

Quelques instants plus tard, nous touchions la rive, à proximité de notre « bidon » (ainsi que nous appelions, à présent, le hangar à bateaux). Bistèque s'empressa d'allumer du feu dans le vieux poêle qui ronfla comme un moteur d'avion. Le pantalon de toile blanche et le maillot rayé furent mis à sécher, près du tuyau.

« Vous êtes vraiment des copains, fit Totor en se chauffant, en slip, devant le poêle. C'est la chance qui vous a conduits vers moi. Je me demanderai toujours ce qui m'est arrivé.

— Tout à l'heure, tu as parlé d'un choc dans le dos.

— Oui, un choc.. ou plutôt une poussée... mais qui m'aurait poussé ? J'étais seul sur le pont. Les autres jouaient aux cartes dans la grande cabine. J'ai dû perdre l'équilibre et m'imaginer que quelqu'un pouvait m'avoir poussé... Aucune importance, puisque tout finit bien... grâce à vous ! »

Ses vêtements séchés, réconforté par la tasse de café préparée par Bistèque, il ne songeait plus qu'à rejoindre le château.

« Si ça ne vous dérange pas trop, fit-il, j'emprunterais volontiers un de vos vélos pour rentrer plus vite. Je promets de le rapporter dès que possible.

— Si tu ne te sens pas tout à fait remis, proposa le Tondu, l'un de nous peut t'accompagner. »

Il se mit à rire.

« Pensez-vous ! Je suis de nouveau en pleine forme. Rien de tel qu'un bain froid pour vous ravigoter... Après tout, je me déciderai peut-être à apprendre à nager. »

Le Tondu et la Guille le reconduisirent jusqu'au bout du sentier où il enfourcha le vélo de Corget, le seul muni d'un éclairage, et il disparut dans la nuit.

Il était quatre heures du matin. Après de telles émotions, personne ne songeait à se coucher. En somme, cet incident nous avait plus impressionnés que Totor lui-même.

« Bizarre, fit Gnafron en secouant la tête, tout à fait bizarre. Comment Totor a-t-il pu perdre l'équilibre sur un lac aussi calme ? Cette histoire de choc ou de poussée m'intrigue.

— Évidemment, approuva Bistèque, il semble étonnant qu'à bord personne ne se soit immédiatement aperçu de sa disparition.

— C'est vrai, ajouta la Guille, et nous n'avons vu aucun bateau. Le yacht aurait dû tourner en rond sur les lieux de l'accident. »

Sur ce point, Corget se montra sceptique.

« La brume couvrait le lac ; le bateau n'a peut-être pas retrouvé l'endroit.

— Possible ! mais le bruit d'un moteur s'entend de loin, la nuit, surtout par temps calme. »

Ces constatations parurent si troublantes au petit Gnafron qu'il fit mine de s'arracher les cheveux en s'écriant :

« Nous sommes des idiots ! Ce brave type de

Totor ne voit de malice nulle part. Je suis sûr qu'il n'est pas tombé à l'eau tout seul.

— Tu veux dire, reprit vivement Corget, que quelqu'un...

— Demain, quand il rapportera le vélo, nous le questionnerons à nouveau. Ses souvenirs seront peut-être plus clairs. En attendant, couchons-nous et dormons pour rattraper le temps perdu. »

Il éteignit la lampe, dont la pile touchait d'ailleurs à sa fin, et s'enfonça dans son sac de couchage.

Chapitre 4

Une étrange visite

« Quelle histoire effarante ! s'exclama Mady. Si vos suppositions sont vraies, c'est épouvantable ! À présent, vous me faites vraiment croire au château maudit.

— Le fait est là, répliqua Corget, Totor est bel et bien tombé à l'eau alors que pas une vague ne ridait le lac. Il avait l'habitude de naviguer et connaissait le bateau. D'ailleurs, ses premières paroles ont été pour dire qu'il avait reçu une poussée.

— Pourtant, vous venez de me dire qu'il n'a rien vu, rien entendu au moment de l'accident.

— Ce n'est pas une preuve. Celui qui a fait le coup avait pris ses précautions.

— Et vous n'avez pas pensé un seul instant que ce Victor, que je ne connais pas, pouvait avoir inventé cette histoire ?

— Oh ! Mady, tu n'as pas vu sa tête quand il est revenu à lui, dans le canot. Il n'avait vraiment pas l'air de quelqu'un qui raconte des blagues, et n'oublie pas que nous l'avons sauvé par miracle. Il ne tenait à la bouée que par un fil de son maillot. Depuis plus d'une heure, il flottait ainsi sur l'eau quand Kafi l'a aperçu. Crois-moi, si le yacht avait pris la peine de le rechercher, il l'aurait retrouvé avant nous. »

Assis sur les rochers de la rive, dans la claire lumière du matin, nous montrions à Mady l'endroit approximatif où le jeune matelot avait été découvert quand des pas résonnèrent sur le sentier. Je retins Kafi, prêt à s'élancer pour défendre l'accès de sa maison... c'est-à-dire de notre fameux « bidon ».

Je tressaillis en reconnaissant l'homme qui, l'autre jour, nous avait priés sans ménagement de quitter son parc. Le temps de nous lever, il arrivait à nous.

« Ah ! mes garçons, fit-il vivement. J'ai d'abord des excuses à vous faire... à cause de l'autre fois... et de chaleureux remerciements à vous adresser. Vous venez de sauver le matelot de mon bateau... Non ! ne protestez pas, sans vous, nous le perdions. »

C'était bien le même homme, mais avec un visage très différent, sans son air dur et distant. Sa voix était cordiale. Cependant, on le devinait plutôt inquiet.

« Oui, reprit-il, Victor m'a tout raconté, cette nuit, en rentrant à *Bella Vista*. Vous avez fait là quelque chose d'extraordinaire ! Dès ce matin, je suis venu à Meillerie expliquer l'accident à sa mère et la rassurer... et aussi vous remercier. Des gens du pays m'ont indiqué où vous logiez. C'est d'ailleurs charmant, ici, l'endroit le plus pittoresque de cette rive... mais revenons-en à Victor. Ah ! quelle nuit nous avons passée ! Dès que je me suis aperçu de sa disparition, j'ai pris le gouvernail pour explorer le lac. Par malchance, la brume commençait à descendre. Sans projecteur spécial, les recherches étaient impossibles. Alors j'ai décidé de rentrer rapidement à *Bella Vista* d'où j'ai téléphoné à la police d'Évian pour qu'elle envoie la vedette de sauvetage sur les lieux. La vedette n'a rien trouvé. Vous imaginez mon soulagement quand, vers trois heures du matin, Victor a sonné au château. Pauvre Victor ! un garçon si sérieux dans son travail ! Bien sûr, c'était un peu sa faute ; il n'aurait pas dû quitter son poste au gouvernail. Tout de même, je ne me serais jamais consolé... »

Il sortit son mouchoir, s'essuya les yeux. Puis, vivement, il reprit :

« Voyons ! Comment l'avez-vous découvert ?... D'abord que faisiez-vous, si tard, au milieu du lac ? »

Corget expliqua comment nous avions retrouvé le matelot, accroché à un flotteur, grâce à notre chien Kafi ; comment, ensuite, nous l'avions retiré de l'eau, puis ranimé.

« Que vous a-t-il dit, en revenant à lui ? s'inquiéta l'homme.

— Il ne se rendait pas très bien compte de ce qui lui était arrivé. Il avait l'impression d'avoir ressenti un choc, une poussée dans le dos.

— Est-ce les mots exacts qu'il a prononcés ?... A-t-il précisé d'où venait cette poussée ?

— Non, il ne savait pas au juste.

— Et, par la suite, n'a-t-il rien ajouté ?

— Simplement qu'il avait eu une chance inouïe de tomber juste sur un flotteur à filets. »

L'homme hocha la tête.

« Pauvre Victor ! Il devait dormir à moitié. J'imagine qu'il s'est heurté à la rambarde, ou que son pied a buté contre quelque chose. Voyons, puisque vous vous trouviez vers le milieu du lac, vous n'avez jamais aperçu le yacht ?

— Non, mais comme nous rentrions à Meillerie, nous avons cru entendre, au loin, un ronronnement de bateau à moteur.

— Celui de la police, probablement... Justement, à propos de police, il se peut qu'on vienne vous questionner... Rien de surprenant à cela, puisque vous avez découvert Victor. Si on vous demande de répéter ce qu'il a dit, n'insistez pas sur cette prétendue poussée qu'il aurait reçue. Vous ne connaissez pas la police ; elle s'imaginerait toutes sortes de choses... C'est son métier d'être méfiante, et elle a raison, mais on vous harcèlerait de questions. Qui sait même si on n'enquêterait pas chez vous, bien que vous ne soyez pour rien dans cette affaire ? J'imagine que vos parents ne seraient pas très satisfaits d'apprendre que vous vous promeniez, en pleine nuit, sur le lac... par temps de brume pardessus le marché. D'ailleurs, Victor a complètement repris ses esprits ; après quelques heures de sommeil, il m'a déclaré tout à l'heure qu'il croit avoir simplement perdu l'équilibre. L'essentiel, n'est-ce pas, est qu'il soit sauvé ! »

Il y eut un silence, puis l'homme reprit, souriant cette fois :

« Précisément, je tiens absolument à récompenser ses sauveteurs. »

Il sortit son portefeuille. Toute la bande eut le même geste de protestation.

« Non, pas d'argent, nous n'accepterons rien. »

L'homme parut dérouté par ce refus énergique. Il tenait déjà entre ses doigts des billets de banque.

« Alors, comment vous remercier de ce que vous avez fait pour Victor... et pour moi ? »

Il y eut un nouveau silence gêné, que Gnafron interrompit soudain :

« Si vous tenez à nous faire plaisir, permettez-nous simplement de voir, de près, votre yacht ; notre camarade Mady, que voici, l'a vu plusieurs fois passer le long de la côte, elle l'a trouvé si beau ! »

L'homme eut une hésitation ; je vis ses sourcils se froncer, l'espace d'un instant. Mais aussitôt, il se reprit, à nouveau souriant.

« C'est vraiment peu de chose... et en tout cas facile. Venez donc cet après-midi à *Bella Vista*. Victor vous le fera visiter. »

Il ajouta :

« Oui, venez vers quatre ou cinq heures. Je tiens à effacer votre mauvais souvenir de l'autre jour. Vous goûterez dans le parc. Que votre camarade vous accompagne, bien entendu. »

Là-dessus, il distribua à tous de cordiales poignées de main, gratifia Kafi d'une tape amicale et regagna la grosse américaine qui l'attendait sur le quai.

L'homme parti, nous restâmes un moment abasourdis par cette visite qui nous avait laissé une curieuse impression. En ce qui me concerne, le changement d'attitude du châtelain m'avait profondément surpris. Autant, l'autre fois, il s'était montré distant, autant il venait de se révéler chaleureux. Pourquoi avait-il tenu à nous voir, dès ce matin ?... simplement pour nous remercier ?

« Je ne pense pas, déclara Gnafron. Ses remerciements n'étaient qu'un prétexte. N'avez-vous pas remarqué son air inquiet à son arrivée ? Il voulait s'assurer que le pauvre gars n'avait pas raconté autre chose.

— Moi, fit Corget, j'ai été frappé par ses précautions pour nous faire admettre que nous ne devions rien dire à la police. Ma parole ! d'après lui on pourrait presque nous soupçonner. Quel comble ! Il a voulu nous effrayer, comme si la police avait l'intention d'enquêter auprès de nos parents, parce que nous avons retiré de l'eau un garçon qui se noyait.

— Et ces gros billets ? ajouta la Guille. Je me trouvais près de lui quand il les a sortis de son portefeuille, six ou sept billets de 500 francs, vous vous rendez compte ! Ce n'est pas normal.

— Oh ! moi, fit le Tondu, les gros billets ne m'étonnent pas. Quand on peut se payer un château et un yacht comme le *Caprice* pour ses vacances... Mais, je le reconnais, il avait l'air de nous acheter. »

À mon tour, j'ajoutai :

« Et vous n'avez pas remarqué son air gêné, quand Gnafron lui a demandé de visiter son bateau ? Sur le coup, j'ai cru qu'il allait refuser ; il a hésité et, subitement, il s'est ressaisi comme si, à tout prix, il voulait nous faire plaisir.

— Tidou a vu juste, approuva Bistèque. Je crois qu'il nous aurait décroché la lune si Gnafron l'avait demandée. »

Puis, se tournant vers Mady :

« Et toi, qu'en penses-tu ? »

Tous les regards se portèrent sur notre camarade. Souvent, au cours de nos aventures, les « pressentiments » de Mady nous avaient servi. Mieux que nous, elle décelait ce que cachait le visage des gens.

« Ce que j'en pense ? fit-elle. Je suis bien embarrassée. À première vue, il n'est pas antipathique... mais je ne l'ai pas vu l'autre jour, quand vous êtes entrés dans son parc ; je ne peux pas faire de comparaison. Cependant je ne m'explique pas du tout pourquoi cet homme aurait poussé son matelot à l'eau. En admettant que ce garçon ait fait quelque bêtise, son patron l'aurait renvoyé, tout simplement. Il faudrait être fou pour commettre un crime pareil, sans autre raison. Or, cet homme n'est pas fou.

— Évidemment, reprit Corget, mais rien ne prouve que Totor ait été poussé par son patron. D'autres personnes vivent au château... qui se trouvaient sans doute à bord du yacht cette nuit.

— En tout cas, approuva Mady, tu as eu une fameuse idée, Gnafron, de nous faire inviter à *Bella Vista*. Une belle occasion pour y rencontrer tous ses habitants ! Totor sera tout à fait remis de ses émotions, nous nous arrangerons pour rester un moment seuls avec lui et le faire parler.

— Pour ça, lança le Tondu en riant, nous comptons sur toi.

— Donc, conclut Corget, fixons le rendez-vous, sur le quai, cet après-midi, à quatre

41

heures moins le quart. Mady, tu t'installeras dans la remorque, à la place de Kafi qui peut bien faire le trajet "à patte"... Quant à moi, je monterai sur le porte-bagages du Tondu, en attendant de récupérer mon vélo... et en route pour le château... »

Chapitre 5

Le *Caprice*

Dès trois heures et demie, la bande se retrouvait sur le quai ombragé. Pour cette sortie au château, chacun avait remis de l'ordre dans sa tenue, d'ordinaire plutôt débraillée. Gnafron nous amusait. Il s'était plongé la tête dans le lac pour mieux coller ses cheveux raides comme des baguettes de tambour. La seule brosse en notre possession, passée de main en main, avait arraché des nuages de poussière à nos vêtements. Pour cette réception mondaine, Mady arborait une jolie petite robe blanche à lisérés rouges, parfaitement repassée par elle-même.

La voyant apparaître, si élégante, à côté de nous, la bande avait poussé un « oh ! » d'admiration qui l'avait fait rougir de confusion plus que de plaisir, car elle détestait jouer les coquettes.

« Heureusement que Mady nous accompagne, dit Gnafron en rabattant une mèche rebelle de sa tignasse ; elle sauvera l'honneur de l'équipe. »

Nous nous efforcions de rire. En réalité nous nous sentions impressionnés par ce mystérieux château, et le souvenir de l'accident de Totor. À la réflexion, cet accident devenait même de plus en plus suspect. En effet, après la visite de M. Reinbach, nous étions allés voir la mère de Totor qui habitait une vieille maison délabrée, au-dessus du port. La pauvre femme avait longuement parlé de son fils.

« Un si bon garçon ! Dire que c'est moi qui l'ai engagé à travailler au château ! Il aime tant tout ce qui touche à la mécanique et aux bateaux. Vraiment, je ne comprends pas comment il a pu tomber à l'eau, lui, adroit et souple comme un chat... et pas du tout sujet au vertige. Et je ne m'explique pas non plus comment personne n'a entendu ses appels au secours, quand il s'est accroché à la bouée. »

Ainsi, comme nous, sa mère avait le sentiment qu'un certain mystère entourait l'accident, mais pas plus que son fils, elle ne voyait plus loin. Pour elle, l'essentiel était que Totor fût sain et sauf... et, naturellement, nous ne lui avions pas fait part de nos doutes.

La bande partit donc sur la route sinueuse qui borde le lac. Le temps était clair et presque trop chaud. Nous sachant en avance, nous roulions lentement.

Enfin, apparut la belle grille en fer forgé et l'inscription : *Bella Vista*. Malgré moi, mon cœur se mit à battre très fort.

Vite ! un coup de peigne avant de se présenter ! De rage, sentant une mèche se redresser plus raide que jamais, Gnafron la rabattit furieusement avec sa paume enduite de salive, puis, toujours décidé, pénétra le premier dans le parc.

Notre arrivée avait dû être aperçue. Nous n'avions pas fait vingt pas qu'une silhouette apparut, à travers les frondaisons, celle de la jeune fille de l'autre jour. Elle portait encore un pantalon et un pull-over blancs. Elle arriva près de nous, souriante, heureuse de nous revoir.

« M. Reinbach m'a avertie de votre venue. Quel curieux hasard ! Victor répare un de vos vélos et, en échange, vous lui sauvez la vie. C'est merveilleux ! »

Elle serra nos mains. Je lui présentai Mady, un peu intimidée, moins par l'accueil tout simple de la jeune fille que par le décor de ce parc somptueux. Comme Mady se croyait obligée de la vouvoyer notre jeune hôtesse protesta gentiment :

« Nous sommes tous à peu près du même âge, alors, pourquoi ne pas nous tutoyer... ? J'ai si peu l'habitude d'être tutoyée. Ça me fera plaisir. Je m'appelle Saga. Dites-moi vos noms, vous aussi. »

Chacun se nomma. Elle rit beaucoup aux surnoms de Bistèque et de Gnafron.

Elle tint aussi à savoir comment j'appelais mon chien. Je lui racontai qu'il m'avait été donné, tout petit, en Provence, par un vieil Arabe qui avait insisté pour que je lui donne son propre nom, Kafi.

« Kafi ! s'écria-t-elle. C'est de l'arabe, en effet. Je connais quelques mots de cette langue. Nous avons vécu en Afrique du Nord. »

Puis, très vite, elle ajouta :

« Alors, puisque nous avons fait connaissance, à présent, parlez-moi de votre sauvetage de cette nuit. »

45

Mais, à ce moment, M. Reinbach arrivait en hâte, du fond du parc. Essoufflé, il s'exclama :

« Oh ! Saga, pourquoi ne pas m'avoir fait dire qu'ils étaient là ?

— Ils viennent juste d'arriver, j'allais vous prévenir. »

L'homme saisit nos mains, les serra chaleureusement en renouvelant ses remerciements. Puis, d'un ton apparemment ennuyé, il ajouta :

« Vous excuserez l'absence de Victor. Il est allé à Évian faire changer une pièce à ma voiture. Je lui ai fait remarquer qu'après sa baignade forcée il devrait plutôt se reposer, mais il sait que j'ai besoin de ma voiture pour demain. J'espère qu'il ne sera pas absent trop longtemps. »

Et, son sourire retrouvé, il enchaîna :

« Voulez-vous commencer par visiter le parc ? Il renferme des arbres d'essences assez rares, malheureusement pas très bien soignés. Le domaine est resté longtemps à l'abandon. Notre jardinier a fort à faire pour le remettre en état. »

Il nous conduisit à travers les allées qui, contrairement à ses dires, me parurent fort bien entretenues. On y bénéficiait de magnifiques échappées sur le lac scintillant. Saga tint à nous montrer son propre domaine, une sorte de tour carrée et crénelée, perdue dans les arbres, plantée là pour agrémenter le décor.

« J'en possède seule la clef, expliqua-t-elle. En somme, c'est mon château à moi. »

Au-dessous de la tour, le petit port apparut, protégé par une digue artificielle, contre laquelle le yacht était amarré.

« Je ne voudrais pas vous faire perdre votre

temps, monsieur Reinbach, proposa Saga, je peux très bien me charger de la visite du *Caprice*.

— Pas du tout, Saga, répondit l'homme. Moi aussi, je suis en vacances ; je vous accompagne. »

Il indiqua le chemin étroit conduisant au port. En descendant l'allée, je me penchai vers le Tondu, qui marchait près de moi, et lui glissai à l'oreille :

« J'ai l'impression qu'il ne tient pas à nous laisser seuls avec Saga.

— C'est vrai... et peut-être aussi a-t-il expédié Totor exprès, à Évian, pour que nous ne puissions pas le rencontrer. »

Nous arrivions sur la digue. De loin, le beau yacht à coque blanche m'avait à peine semblé plus grand que la barque à voile du père Tap-Tap. Quelle erreur ! Il avait au moins douze mètres de long, une vraie merveille ! Mady ne se trompait pas. Jamais nous n'avions vu un aussi beau bateau.

Le nickel des rambardes, l'acajou des boiseries, tout étincelait.

« Dommage que Victor ne soit pas là ! dit M. Reinbach, il vous aurait fait lui-même les honneurs de ce bateau. Il est très fier d'en être le capitaine... Voulez-vous me suivre ? »

Un escalier aux marches vernies nous conduisit dans la cabine, plus vaste que ma chambre, à la Croix-Rousse. De chaque côté, sous les hublots, s'étendaient des banquettes garnies de coussins. Une table de bois laqué occupait le centre.

Le plancher était recouvert d'une moquette si épaisse que j'avais presque honte de la fouler avec mes vieilles sandales.

« Dans cette cabine, expliqua notre hôte, nous

passons des heures charmantes avec Saga, son père et Mme Reinbach. Ici, Saga a appris à jouer au bridge, mais elle n'aime pas beaucoup les cartes... n'est-ce pas, Saga ? Nous adorons les petites croisières nocturnes, le père de Saga, surtout. Hélas ! sa santé nous donne quelque inquiétude.

— Oui, approuva Saga, dont le visage devint soudain triste, beaucoup d'inquiétude. »

Parlant toujours d'abondance et vite, M. Reinbach ouvrait des tiroirs de placards, escamotait des sièges pour nous montrer les merveilleux perfectionnements de ce salon flottant.

« Ce n'est pas tout, dit Saga. Par ici, sous le poste de pilotage, il y a... »

Mais l'homme la retint par le bras et l'interrompit :

« Inutile, Saga, aucun intérêt pour des garçons. Ils doivent plutôt se passionner pour la mécanique. »

Il nous poussa en direction d'une échelle métallique qui descendait vers les profondeurs du navire jusque dans la chambre des machines, elle aussi d'une incroyable propreté, sans la moindre tache d'huile ou de graisse.

« Voyez comme Victor entretient bien son bateau, je ne lui ferai jamais assez de compliments », dit encore M. Reinbach.

Mais, malgré tout le plaisir que nous éprouvions à découvrir les merveilles du yacht, nous avions hâte de voir l'endroit où se trouvait Totor quand il avait basculé dans le vide. Au moment où nous remontions sur le pont, Corget ne put retenir sa langue et posa la question.

« Justement, expliqua l'homme, d'après ce que

j'ai compris, Victor devait se tenir ici. Il était descendu du poste de pilotage que voilà pour prendre le frais à la coupée.

— La coupée ? répéta Gnafron pour faire comprendre qu'il ne savait pas de quoi il s'agissait.

— Oui, reprit notre guide, l'endroit où la rambarde s'interrompt pour permettre de poser la passerelle. Il avait dû oublier de tendre cette chaîne de sécurité qu'on accroche toujours, au moment du départ.

— Il a plutôt basculé par-dessus, intervint Saga. Car hier soir je suis montée à bord la dernière. Je me souviens très bien d'avoir fixé la chaîne. »

M. Reinbach se tourna vivement vers elle et coupa :

« Possible, mais par la suite, je ne sais pour quelle raison, Victor l'aura sans doute enlevée. En tout cas, une chose est certaine, quand je me suis aperçu que le bateau dérivait et que je me suis précipité sur le pont, la chaîne était décrochée... Mais pourquoi revenir là-dessus puisque, Dieu merci, grâce à vous, mes garçons, le matelot du *Caprice* en a été quitte pour un bain prolongé ?... Regagnons plutôt le parc où un goûter vous attend. »

Des fauteuils de rotin étaient disposés autour d'une table, sous les ombrages, à proximité du château qui, de cet endroit, avait grande allure avec son haut toit d'ardoises bleues. Comme tous mes camarades, j'espérais que M. Reinbach nous laisserait enfin seuls avec Saga qui, visiblement, aurait été heureuse de le voir partir. Eh bien, non, il s'installa le premier dans un fauteuil et se reprit à parler du lac, de la Savoie, de toutes sortes de choses, tandis qu'une servante apportait rafraîchissements et gâteaux.

« Mme Reinbach aurait été heureuse de faire la connaissance des sauveteurs de notre matelot, ajouta notre hôte ; elle est occupée en ce moment avec sa couturière.

— Mon père aussi aurait été content de vous voir, dit Saga en soupirant ; il est souffrant. Le docteur lui a conseillé une longue sieste chaque après-midi. Il ne sort guère que le soir sur le yacht, car il ne s'endort que très tard. Et il aime tant se promener sur l'eau. Nous en avions l'habitude, en Afrique du Nord, quand maman vivait encore. »

Elle baissa la tête, soupira de nouveau, au bord des larmes :

« Cher papa ! Parfois, je crains qu'il ne se remette jamais. »

M. Reinbach lui posa une main sur l'épaule.

« Voyons, Saga ! Ne pensez pas à des choses pareilles. Le calme reposant des bords du lac guérira votre père. »

Là-dessus, il se leva, montrant ainsi que nous devions nous lever nous aussi. Allait-il enfin laisser Saga nous accompagner, seule, jusqu'à la grille ? Hélas ! il ne nous quitta pas. Il attendit même que la jeune fille fût allée chercher, pour nous le rendre, le vélo prêté à Totor, et ne nous abandonna qu'au bord de la route quand toute la bande fut prête à remonter en selle. Alors, seulement, il disparut, emmenant Saga qui n'eut que le temps de nous adresser un sourire d'adieu plein de regrets.

Chapitre 6

Pour trois bégonias

Cette visite au château nous avait causé à tous une si étrange impression que, pendant deux kilomètres, personne ne souffla mot. Mais, apercevant tout à coup un petit chemin s'embranchant sur la grand-route, Corget donna un coup de guidon pour s'y engager et mit pied à terre, imité par toute la bande. Comme lui, nous éprouvions le besoin de parler de cette « réception ».

Les vélos jetés pêle-mêle dans le fossé, on se laissa tomber sur l'herbe.

« Que pensez-vous de ce M. Reinbach ? » commença le Tondu.

C'était difficile à exprimer. Un fait paraissait certain. Il s'était efforcé d'écarter Saga ou, plutôt, il l'avait surveillée. À plusieurs reprises, il l'avait empêchée de parler... en particulier dans le salon du yacht. Et puis, ce n'était probablement pas par hasard qu'il avait envoyé Totor à Évian, au moment où nous serions au château.

« Je comprends à présent pourquoi il ne tenait

pas à faire visiter son bateau, déclara Gnafron. Ce matin, à Meillerie, il n'avait pas parlé de l'existence de cette chaîne qui ferme la... la coupée, comme il l'appelle. Or, Saga assure l'avoir tendue. Il faudrait donc supposer qu'en venant prendre l'air sur le pont, Totor l'aurait enlevée, ce qui paraît improbable. Totor aurait donc basculé par-dessus cette chaîne. C'est tout aussi invraisemblable... à moins qu'on ne l'ait violemment poussé.

— Parfaitement, approuva la Guille. Sans en avoir l'air, je me suis approché de la chaîne. Elle m'arrivait ici, presque à la taille. Or, Totor n'est pas plus grand que moi. S'il avait simplement perdu l'équilibre, la chaîne l'aurait retenu.

— Vous voyez ! s'écria Gnafron. Il ne s'agit pas d'un accident. »

Personne ne le contredit. Cependant, Mady répéta ce qu'elle avait déjà dit le matin.

« Alors pourquoi quelqu'un aurait-il voulu se débarrasser de Victor ? »

Gnafron hocha la tête.

« Évidemment, c'est le point d'interrogation.

— Moi, fit le Tondu, je m'inquiète surtout de ce qui va se passer, à présent. Le coup monté contre Totor n'a pas réussi, on peut supposer que celui qui lui veut du mal recommencera... et, cette fois, nous ne serons pas là pour jouer les sauveteurs.

— Justement, approuva vivement Bistèque, puisque nous n'avons pu parler à Totor, il faut absolument le voir. Faisons demi-tour et allons l'attendre sur la route d'Évian. »

D'un seul élan, toute la bande se dressa. Victor nous était trop sympa. Nous devions le prévenir qu'un danger le menaçait. À toutes pédales, nous voilà repartis en sens inverse, pour nous arrêter, un kilomètre au-delà du château, à un endroit où la route, rectiligne, nous permettrait de voir les voitures arriver de loin.

Nous n'attendîmes pas longtemps. Bientôt, la Guille reconnut la silhouette de la grosse voiture américaine. Quand elle ne fut plus qu'à une centaine de mètres, nos bras s'agitèrent. Mais Totor nous avait déjà reconnus. Il appuya de toutes ses forces sur le frein et l'auto s'arrêta juste à notre hauteur.

« Ah ! par exemple ! mes sauveteurs ! s'écriat-il, la face hilare. Vous attendiez peut-être que je me casse la figure avec cet engin ?... Rassurezvous, si je nage comme un caillou, je sais conduire une bagnole. Que faisiez vous ici ?

— Nous venons de *Bella Vista*. M. Reinbach nous avait invités avec Mady que voici, notre camarade à tous. Nous devions visiter son yacht. Il ne t'avait pas prévenu de notre visite ? »

Totor ouvrit des yeux ronds et son étonnement parut comique.

« Je ne savais rien. Je reviens d'Évian où j'ai fait changer une pièce de la voiture.

— C'était urgent ?

— Bah ! le pot d'échappement qui faisait trop de bruit. Ça ne l'empêchait pas de rouler. Dommage que le patron ne m'ait pas prévenu. J'aurais eu du plaisir à vous faire voir moi-même "mon" yacht. Je suppose que vous l'avez trouvé à votre goût ? »

Nous devions faire de drôles de têtes, car il ajouta :

« Pourquoi me regardez-vous de cette façon ? Qu'est-ce qui vous tracasse ?

— Voilà, fit Corget. Nous sommes venus pour te parler. »

Totor ouvrit des yeux encore plus ronds.

« Me parler de quoi ?... du plongeon de cette nuit ? fit-il en retrouvant son sourire. Vous avez peur, à présent, que j'attrape une congestion ?

— Non, c'est plus grave.

— Plus grave ? Alors, attendez, je n'aimerais pas que mon patron m'aperçoive arrêté au bord de la route, au cas où il lui prendrait fantaisie de sortir avec la 2 CV verte. »

Il remonta dans la voiture qu'il gara, cinquante mètres plus loin, dans l'allée conduisant à une villa inhabitée.

« Eh bien ? fit-il, mi-blagueur, mi-impressionné.

— Écoute, dit Corget, depuis le moment où tu nous as quittés, cette nuit, nous avons eu le temps de réfléchir... Nous avons encore réfléchi tout à l'heure, en visitant le yacht. Ton accident nous paraît de plus en plus bizarre.

— Et à moi donc !

— Justement, nous aimerions que tu nous racontes encore ce qui s'est passé. Te rappelles-tu, par exemple, si la chaîne de la coupée était tendue quand tu es tombé ?

— Elle l'était, j'en suis sûr. Saga est montée la dernière à bord du *Caprice,* je l'ai vue l'accrocher.

— Par conséquent, tu as basculé par-dessus.

— Exactement.

— Et ça ne t'étonne pas, vu la hauteur de la chaîne ?... Le choc que tu as reçu, dans le dos, a donc été si violent ? Tu ne t'es pas inquiété de savoir ce qui t'avait fait tomber ?

— À vrai dire, si, et je me le demande encore, mais, vous savez, après un pareil plongeon, on ne sait plus très bien ce qu'on doit croire.

— Quand tu étais sur le pont en train de prendre le frais, tu regardais sans doute vers le large. Quelqu'un aurait pu arriver, derrière toi, sans que tu l'entendes. »

Il nous regarda, étonné.

« Où voulez-vous en venir ?

— Écoute, Totor, pour ne rien te cacher, nous sommes à peu près certains que quelqu'un a tenté de te faire disparaître. Une foule de petits détails nous le font supposer. Nous sommes tes amis, Totor, nous ne voudrions pas qu'il t'arrive un autre accident. Voyons, qui était à bord du yacht la nuit dernière ? »

Cette fois, Totor parut troublé.

« Eh bien, fit-il, comme d'habitude, il y avait M. Reinbach, sa femme, Saga et son père, M. Alméri.

— Où se tenaient-ils ?

— Dans le salon du *Caprice,* en train de jouer aux cartes.

— Saga aussi ?

— Peut-être était-elle dans la cabine installée au bout du salon, juste sous le poste de pilotage. Elle n'aime guère les cartes. Elle préfère lire étendue sur une couchette... »

Nous échangeâmes tous un regard. Ainsi, nous apprenions ce que M. Reinbach avait voulu nous cacher : l'existence d'une autre cabine, munie de couchettes, où Saga devait se retirer souvent.

« Et de cette cabine, demandai-je à mon tour, peut-on monter directement sur le pont ?

— Bien sûr ! Tu n'as pas aperçu l'écoutille qui débouche à bâbord, près de la coupée ?

— Près de la coupée, dis-tu ? »

Totor parut réfléchir, comme si cette question l'avait frappé. Puis il se redressa, les traits soudain durcis.

« Vous ne croyez tout de même pas que Saga m'a poussé ?... Est-ce pour en venir là que vous me racontez tout ça ?

— Non, intervint Mady de sa voix douce, nous n'avons jamais songé à accuser Saga. Nous cherchons seulement à comprendre, pour qu'il n'arrive rien de grave par la suite ; nous le faisons par amitié pour vous... pour toi. »

Elle avait hésité, se demandant s'il valait mieux le tutoyer. Totor sourit à nouveau. La Guille en profita pour enchaîner :

« Tu peux nous le dire franchement, nous ne le répéterons pas. As-tu eu des ennuis à *Bella Vista ?* Quelqu'un aurait-il des raisons, bonnes ou mauvaises, de t'en vouloir ? »

Totor secoua la tête :

« Je ne vois pas. M. Reinbach est exigeant, mais il paraît content de moi. S'il se montre un peu nerveux, par moments, ce doit être à cause de son travail.

— Quel genre de travail ?

— J'ai cru comprendre qu'il dirigeait une aciérie ou une fonderie en Lorraine... comme M. Alméri, d'ailleurs, mais lui, le malheureux, je ne donne pas cher de sa santé. Quant à Saga, c'est la fille la plus sympa que je connaisse. Elle vient parfois me voir quand je bricole, au garage, ou sur le bateau. La vie n'est pas gaie pour elle ici.

— Et Mme Reinbach ?

— Elle ne me parle pour ainsi dire jamais, même si elle est seule dans la voiture, quand je la conduis au casino d'Évian. Elle ne s'intéresse qu'à ses toilettes.

— Et les domestiques du château ?

Il n'y en a que deux, la cuisinière et son mari, le jardinier, qui sert aussi de valet de chambre. Le jardinier, lui, n'est pas commode. Il pourrait m'en vouloir, parce qu'un jour, en faisant une manœuvre dans le parc, avec cette satanée voiture longue comme un wagon, j'ai écrasé un de ses massifs de bégonias... Je sais qu'il m'en garde un peu rancune. Bah ! vous ne... »

Il s'arrêta alors et son visage tout entier marqua la surprise, comme s'il venait d'avoir soudain une révélation.

« Au fait, fit-il, j'avais complètement oublié, le jardinier se trouvait aussi à bord du yacht hier soir.

— Comment ? se récria Mady. Un simple employé sur le *Caprice* ?

— C'était seulement la deuxième ou troisième fois qu'il sortait avec les patrons... parce qu'on s'est aperçu qu'il savait jouer au bridge. Moi, je ne connais pas le bridge ; il paraît qu'il faut être quatre pour y jouer, et comme Saga préfère lire dans la cabine, on s'est résigné à l'embaucher. »

Puis, s'étonnant encore de n'avoir pas plus tôt songé à ce détail :

« Ah ! par exemple, le jardinier ! Tout de même, me jeter à l'eau pour trois malheureux bégonias ! »

Il se reprit à rire, soulagé, comme s'il n'avait

été simplement victime que d'une mauvaise plaisanterie. Puis il saisit nos mains qu'il serra avec vigueur.

« Vous êtes vraiment tous des copains ; vous avez bien fait de me prévenir. Soyez tranquilles, à présent je me tiendrai sur mes gardes... D'ailleurs, ce maudit jardinier n'aura certainement pas envie de recommencer. »

Et, pensant soudain à regarder sa montre :

« Il faut que je vous quitte, je vais être diablement en retard. Surtout, ne parlez de rien à personne, ça n'en vaut pas la peine. »

Là-dessus, il remonta dans la voiture, nous gratifia d'un salut militaire et démarra en trombe.

La fin de cette scène s'était déroulée si vite, d'une façon si inattendue que nous étions restés, tous les sept, au bord de la route, complètement ahuris. L'insouciance de Totor, l'explication qu'il avait trouvée nous désarmaient.

Nous demeurions les uns près des autres, le regard toujours tendu vers le bout de la route où la voiture avait disparu quand, tout à coup, le Tondu jeta rageusement son béret à terre :

« Eh bien, non ! s'écria-t-il. Totor est encore plus naïf que nous, et il se trompe. Jamais on ne me fera accuser quelqu'un de jeter un homme à l'eau pour trois bégonias. Le mystère reste entier. »

Chapitre 7

La 2 CV verte

Il pleuvait à torrents ce matin-là. Plus de voiles blanches sur le lac, plus de baigneurs batifolant près de la rive, plus de pêcheurs à la ligne sur le quai du port. Pourtant, nous aurions eu mauvaise grâce à nous plaindre. C'était le premier jour vraiment mauvais depuis notre arrivée.

Assis en rond dans notre « bidon », nous épluchions des pommes de terre pour Bistèque, notre cuisinier, jetant de temps à autre des regards consternés vers le lac où la pluie soulevait d'innombrables bulles. Mady était avec nous, comme souvent, le matin, afin de donner un coup de main au cuisinier. Nous l'avions vue arriver, vers dix heures, sous son imperméable de nylon blanc, transparent, ressemblant à ces poupées enveloppées de cellophane exposées dans les vitrines.

Naturellement, de quoi parlions-nous, sinon du château ? Tout ce qui le concernait continuait de nous inquiéter. Pourtant, comment admettre que trois bégonias écrasés suffisaient à faire d'un homme un assassin ?

D'ailleurs, nous avions revu Totor, venu chez sa mère, au village. Le sourire aux lèvres, comme toujours, il était passé nous serrer la main, dire que tout allait bien à *Bella Vista*. Le jardinier avait remplacé, dans le massif, les bégonias détruits. C'était lui, Totor, qui avait rapporté les plants de chez un horticulteur de Thonon. Pour le remercier, le jardinier lui avait même offert une cigarette.

« Vous voyez, avait fait Totor, complètement rassuré, vous aviez tort de vous casser la tête au sujet de mon plongeon. C'est de l'histoire ancienne, à présent, n'en parlons plus. »

Et il était reparti, les mains dans les poches, reprendre la 2 CV avec laquelle il effectuait les courses pour le château.

Cette visite remontait à quatre jours. Depuis, plus rien. Nous commencions à nous demander si, finalement, l'insouciant Totor n'avait pas eu raison de ne pas prendre son aventure au tragique, quand Mady l'aperçut sur le sentier. Il arrivait en courant sous la pluie, nu-tête, sans imperméable. Il souriait comme d'habitude. Cependant, sous ce sourire, se cachait une préoccupation.

« C'est Saga qui m'envoie, fit-il en se laissant tomber sur un billot. Figurez-vous qu'elle a eu un petit accident. Oh ! rassurez-vous, une simple blessure à la jambe... Moi, je m'en suis tiré sans une égratignure.

— Parce que, fit le Tondu, tu étais avec elle ?

— Oui, dans la 2 CV verte ; un accident idiot.

— Quand ?

— Avant-hier après-midi. Saga avait un rendez-vous chez le dentiste à Évian. Nous avions pris la 2 CV. Saga la préfère à l'autre. Entre nous, elle me demande parfois de lui laisser tenir le volant. Je ne peux pas lui refuser ça... mais, hier, pas question de flâner sur la route. Au dernier moment, Mme Reinbach l'avait retenue pour lui donner une liste de commissions à faire en ville, à la parfumerie.

— Que s'est-il passé ?

— Je n'y comprends rien. Nous avions parcouru à peine deux ou trois kilomètres. Je roulais à bonne allure pour rattraper le temps perdu quand, tout à coup, à un virage, crac ! voilà la direction qui lâche. Au lieu de prendre le tournant, la voiture partait tout droit dans le décor ! J'ai donné un violent coup de frein, heureusement, sans quoi nous allions nous écraser contre un poteau en ciment, mais la voiture a pivoté, fait un tête-à-queue et nous avons glissé dans le fossé. Juste à ce moment-là, la portière droite s'est ouverte, Saga a été projetée à l'extérieur. Sa jambe s'est accrochée à un piquet de clôture qui a déchiré le mollet. Moi, je n'avais rien, mais vous pensez si j'ai eu peur pour elle quand j'ai vu le sang couler. J'ai vite serré mon mouchoir autour de sa jambe, puis j'ai arrêté la première voiture qui passait pour nous ramener au château. »

Il se mit à rire.

« Comme vous voyez, à moi, rien ne peut arriver de mal, j'ai une chance du tonnerre ! Mais ce n'est pas seulement pour vous raconter cette histoire que je suis venu. Saga s'ennuie. Après l'accident, M. Reinbach l'a transportée chez un médecin d'Évian qui lui a fait quelques points de suture.

Depuis, elle porte un gros pansement qu'elle devra garder quelques jours. Elle peut à peine marcher et garde la chambre, elle aimerait que vous alliez la voir.

— Tous les sept ?

— Pourquoi pas ?

— Tu ne crois pas que M. Reinbach verrait notre visite d'un mauvais œil ? »

Il rit encore.

« Quoi !... Il vous fait toujours aussi peur ? Rassurez-vous, il est parti ce matin en Lorraine, avec sa femme, dans la grosse voiture... Des affaires à régler, là-bas ; il ne rentrera que dans quatre ou cinq jours. Saga est seule avec son père.

— Alors, fit Mady, dis à Saga que nous ferons une expédition à *Bella Vista*, cet après-midi, s'il ne pleut plus. Nous aussi nous serons heureux de la revoir. »

La promesse obtenue, Totor claqua des talons, se raidit d'une façon comique, les bras collés au corps et exécuta un brusque demi-tour pour s'en aller, mais Corget le retint par la manche.

« Un instant, Totor. Ce... ce nouvel accident, après ta noyade manquée de l'autre jour, tu ne le trouves pas bizarre ? »

Il nous regarda, les uns après les autres, l'air ironique malgré sa volonté de garder son sérieux.

« Et vous ?... vous ne trouvez pas bizarre de voir de faux accidents partout ? Ma parole, on dirait que vous êtes venus au bord du lac pour jouer aux détectives. Si ça peut vous faire plaisir, je vais vous aider. Tenez ! le dénommé Totor, le matin de l'accident, a aperçu le jardinier qui rôdait autour du garage. Évidemment, il ne savait pas que Saga

62

monterait à bord avec moi, et qu'il aurait pu la tuer aussi, mais vous le constatez, le coup était bien calculé : il aurait pu réussir ! »

Là-dessus, il nous gratifia d'un joyeux « salut la compagnie » et s'en fut, en courant, enfourcher son vélo, abandonné à l'entrée du sentier.

Sa visite nous avait déconcertés.

« Je n'ai jamais vu un pareil garçon, fit Mady. Il lui arrive tous les malheurs et il ne veut pas y croire.

— Pour un peu, on le jugerait débile, ajouta la Guille.

— Sûrement pas, coupa le Tondu, seulement il ne veut voir que le bon côté de la vie et il ne se soucie pas du reste.

— En tout cas, fit Corget un peu vexé, il peut toujours se moquer de nous, le fait demeure. Deux accidents coup sur coup, c'est beaucoup, surtout deux accidents aussi inexplicables. Je ne connais pas grand-chose à la mécanique, mais j'ai toujours entendu dire que pour provoquer une catastrophe on débloquait la direction.

— Je sais, fit la Guille, ce nouvel accident est aussi louche que le premier... mais s'il y a un coupable, il ne faut pas compter sur Totor pour nous aider à le découvrir.

— Oui, approuva Mady, moi aussi je commence à croire qu'il se passe de drôles de choses dans ce château, mais attendons pour en discuter à nouveau. Qui sait si, par Saga, nous n'apprendrons pas d'autres détails ? »

Dès lors, il ne fut plus question que de cette nouvelle visite à *Bella Vista*. Heureusement, la pluie paraissait vouloir se calmer. Vers midi, elle cessa complètement et bientôt même des lambeaux de ciel bleu apparurent entre les nuages. Quand l'équipe se mit en route, le beau temps revenait rapidement.

À trois heures sonnantes, nous arrivions à l'entrée du parc mais, cette fois, personne ne nous accueillit. Nos vélos déposés près de la grille, nous descendîmes silencieusement la longue allée qui serpentait à travers les grands arbres. Nous commencions à découvrir le château, quand une voix courroucée lança :

« Que faites-vous ici ?... avec un chien ? Où allez-vous ? »

L'homme qui nous apostrophait était un grand gaillard, sorti d'un buisson, comme un diable d'une forêt. Il avait une quarantaine d'années, le poil affreusement roux et le nez crochu ; le jardinier, sans aucun doute, puisqu'il portait un long tablier de toile verte et brandissait un sécateur. La première fois, nous avions trouvé à M. Reinbach un air sévère ; que dire de cet homme ? Il paraissait tout simplement féroce et Kafi, lui-même, n'osait plus bouger.

« Où allez-vous ? reprit le jardinier. Vous avez la permission d'entrer ?

— Nous venons voir Mlle Saga, fit Mady. Nous la connaissons. Ces garçons sont ceux qui ont sauvé le matelot du yacht. »

L'homme bougonna quelque chose d'incompréhensible, puis regarda si durement Kafi que celui-ci se mit à gronder en découvrant ses crocs.

« En tout cas, fit-il, attachez-moi ce chien. Que je ne le surprenne pas en train de piétiner mes massifs. »

Il s'éloigna, faisant claquer les mâchoires de son sécateur comme pour mieux montrer son mécontentement.

« Eh bien, fit Gnafron à mi-voix, si Totor n'a pas peur d'un bonhomme de cette espèce-là, je me demande ce qui peut l'effrayer... Ce n'est pas moi qui me risquerais à marcher sur ses bégonias ! »

Encore cinquante mètres de descente et nous étions au château. La cuisinière nous ouvrit, plus aimable que son mari. D'ailleurs, elle nous avait déjà vus, puisqu'elle avait servi le goûter dans le parc. Cependant, en apercevant Kafi, elle fit la grimace. Je la rassurai tout de suite, disant que mon chien avait l'habitude de vivre en appartement et que je l'avais dressé à s'essuyer les pattes sur le paillasson... ce qu'il fit aussitôt, ses longues oreilles pointues ayant capté le mot « paillasson ».

Et nous voilà dans l'impressionnant hall du château. Au fond s'élevait un très large escalier aux marches toutes blanches, en marbre peut-être.

« Pas de bruit, recommanda la cuisinière en nous précédant. M. Alméri fait sa sieste. »

Au premier étage, elle désigna la chambre de Saga où elle frappa discrètement pour nous annoncer.

Chapitre 8

Saga parle

Saga était assise dans un fauteuil, la jambe étendue sur un pouf. À cause de sa blessure, elle portait, au lieu de son habituel pantalon blanc, un petit short bleu marine.

« Je savais que vous viendriez, s'écria-t-elle. Je vous remercie d'avoir accepté. »

Elle nous tendit ses mains, puis caressa longuement Kafi qui s'était approché et regardait avec curiosité le gros pansement entourant sa jambe.

« Ah ! oui, mon beau gros chien, fit-elle, cela t'intrigue. Rassure-toi, le pansement est énorme mais la blessure sera vite guérie. »

Puis, nous désignant des chaises :

« Installez-vous. Vous voyez, je vous attendais, j'ai fait apporter des sièges supplémentaires. »

Elle était vraiment sympa, pas à la façon de Totor, bien sûr, mais nous ne nous sentions aucunement gênés près d'elle, malgré le luxe du décor.

« Décidément, nous fit-elle remarquer, Victor n'a pas de chance. Il ne sera pas encore avec nous cet après-midi. Le garagiste a téléphoné tout à l'heure pour dire que la 2 CV était réparée. Il vient d'enfourcher son vélo pour aller la chercher. »

Tandis que nous nous asseyions en rond autour d'elle, elle fit le récit de l'accident, un récit en tout point semblable à celui de Totor. Un miracle qu'ils s'en soient tirés à si bon compte ! La voiture, d'ailleurs, elle non plus, n'avait pas grand mal.

Alors, sans paraître y attacher trop d'importance, Corget lui demanda ce qu'elle pensait elle-même de cet accident, de sa cause.

Elle nous considéra un instant, d'une façon étrange. Devinait-elle la raison de cette question ?

« Oui, fit-elle, je me demande pourquoi la direction s'est desserrée si brusquement. J'ai vu soudain le volant tourner en tous sens entre les mains de Victor. Il avait pourtant vérifié la voiture quelque temps auparavant. Il assure que, malgré le soin qu'on apporte à contrôler un mécanisme, on ne peut jamais affirmer que tout est en bon état. »

Elle s'arrêta un instant puis, après une courte hésitation :

« C'est idiot, ce que je vais vous avouer... Après la noyade manquée de Victor, il me semble que... comment dire ?... que cet accident de voiture n'est pas ordinaire. »

Elle rougit en prononçant ces mots. Mady fit vivement :

« Nous aussi, Saga, nous avons eu cette impression. »

La jeune fille tressaillit.

« Oh ! vous avez pensé... comme moi !...

— Oui, que Victor est menacé et qu'il ne veut pas s'en rendre compte. Nous l'avons questionné.

Il s'est moqué de nous. Il affirme n'avoir aucun ennemi au château... sauf peut-être le jardinier.

— Le jardinier ?

— À cause d'une histoire de bégonias. Un jour, en effectuant une manœuvre, dans le parc, Totor n'a pu éviter un massif et a écrasé quelques fleurs. Le jardinier lui en a voulu.

— Oh ! se récria Saga, notre jardinier a un fichu caractère, je sais, mais en vouloir à ce point à Victor, pour une aussi petite chose !

— C'est bien notre avis... mais l'accident sur le yacht, qu'en penses-tu ?... Qu'en pense aussi M. Reinbach... car le jardinier était à bord, ce soir-là ?

— M. Reinbach m'en a parlé, en effet. Il a fait toutes sortes de suppositions pour conclure, finalement, qu'il ne s'agissait que d'un malencontreux accident. »

Il y eut, de notre part, un silence un peu gêné. Devions-nous parler de la curieuse impression que nous avait faite M. Reinbach, lors de sa visite du yacht, de sa façon de couper la parole à Saga, de son insistance à se mettre entre elle et nous, après avoir éloigné Victor ?

Heureusement, dans les grandes occasions, Gnafron ne manquait pas de saisir le taureau par les cornes. Il posa carrément la question.

« Oh ! fit Saga en souriant, je vois que vous n'avez pas pardonné à M. Reinbach son accueil un peu rude, le jour où vous répariez vos vélos à l'entrée du parc. Sincèrement, lui et moi nous n'avons pas beaucoup de sympathie l'un pour l'autre. Assez autoritaire, il aime tout diriger lui-même. C'est pourquoi il ne nous a pas quittés, l'autre jour... De là à croire... »

Elle ajouta en soupirant :

« Justement, parce que je ne peux vraiment soupçonner personne, je me sens inquiète. Vous me comprenez, n'est-ce pas, puisque vous éprouvez ce que j'éprouve ? J'ai presque peur dans ce grand château isolé, surtout en ce moment où je suis seule, la nuit, avec mon père malade.

— Seule ?

— Le jardinier et sa femme ne couchent pas à *Bella Vista*. Ce sont des gens du pays. Pour un si long séjour, nos domestiques lorrains ne nous ont pas suivis. Ceux-ci habitent à Lugrin, où leur enfant, malade en ce moment, les réclame souvent.

— Ah ! oui, Lugrin, fit Bistèque, le petit village tout près d'ici, sur la route de Meillerie ?

— Oui. Ils partent chaque soir vers dix ou onze heures, plus tard parfois, et la cuisinière revient la première, le lendemain matin, vers six heures et demie.

— Et Victor ?

— En temps ordinaire, il couche ici, dans une chambre mansardée, mais il aime beaucoup sa mère et la pauvre femme est seule. J'ai senti que je lui ferais un très grand plaisir en lui permettant de rentrer chez lui, chaque soir, pendant l'absence de M. et Mme Reinbach, puisque, sans eux, nous avons renoncé à nos promenades nocturnes sur le lac. Bien sûr, cela m'ennuyait un peu de savoir cette grande maison vide ; j'ai essayé de me raisonner... sans y réussir tout à fait.

— Alors, s'inquiéta Mady, qui soigne ton père, la nuit ?

— Dieu merci, il n'a besoin de rien... et je suis là. Il peut m'appeler quand il veut. Cher papa !... »

Elle laissa échapper un soupir. Je compris qu'elle éprouvait le besoin de nous parler de lui. Mady aussi l'avait deviné ; elle demanda :

« Est-il vraiment très malade ?

— Je ne saurais vous dire. Les médecins affirment qu'il devrait guérir complètement. Cependant son état s'aggrave. Il souffre d'un infarctus. Il n'a eu pourtant qu'une seule crise grave, il y a trois mois de cela, en Lorraine. Je vous l'ai dit, je n'aime pas beaucoup M. Reinbach, je reconnais pourtant qu'il s'est beaucoup soucié de la santé de mon père.

« C'est lui qui nous a fait venir dans ce château, pour tout l'été, parce que les médecins conseillaient à papa le calme des bords d'un lac. Quand nous sommes arrivés ici, voici un mois, il était déjà presque rétabli. Hélas ! il décline à nouveau peu à peu comme si, au contraire, le climat de ce pays ne lui convenait pas... Il faut dire aussi que, depuis nos malheurs, il reste très soucieux. »

Elle s'arrêta, mais voyant que nous l'écoutions avec attention, poursuivit :

« Comme je vous l'ai dit, nous habitions en Afrique du Nord. Papa y était industriel. Mais il y a eu la guerre, là-bas. Un jour où maman sortait d'un magasin, une grenade a éclaté, juste devant la porte. Maman a été grièvement blessée ; elle est morte le surlendemain... Et quelques mois plus tard, nous avons dû quitter le pays, comme beaucoup de Français. À l'aide des capitaux qu'il avait pu sauver, papa s'est installé en Lorraine, en s'associant avec M. Reinbach pour exploiter une importante fonderie, et... »

Une sonnerie avait retenti dans sa chambre ; elle s'interrompit aussitôt.

« Papa m'appelle, dit-elle vivement ; il a terminé sa sieste. Il sait que vous deviez venir. Il m'a demandé de vous conduire près de lui pour faire votre connaissance.

— Nous conduire ? fit Mady en regardant le gros pansement.

— Je peux tout de même me déplacer en marchant à cloche-pied, à l'aide de ces cannes. »

Elle se leva elle-même de son fauteuil et nous précéda sur le palier.

« Ils sont là, papa ! Puis-je leur dire d'entrer ? »

M. Alméri, assis près de la cheminée, tenait un journal. Il était encore jeune, cinquante ans à peine, avec un regard vif, un air sympathique, mais son teint pâle, ses traits creusés révélaient une mauvaise santé.

« Approchez, fit-il en souriant, je vous connais déjà par Saga, qui m'a longuement parlé de vous... J'espère que vous avez aussi amené votre chien ?

— Ah ! fit Saga, j'ai oublié de vous dire : papa adore les chiens, surtout les bergers allemands. »

Je m'avançai avec Kafi.

« Oh ! le bel animal ! murmura M. Alméri. Son regard pétille d'intelligence. »

Il le flatta longuement et, en reconnaissance, Kafi lui lécha la main, ce que, d'ordinaire, il ne faisait qu'au bout d'un certain temps, quand il était habitué à la personne.

Bien entendu, M. Alméri commença par parler de l'accident survenu à sa fille. Il se l'expliquait mal, mais se félicitait que tout se fût si bien terminé, juste avec une petite blessure à la jambe.

Puis, comme si, lui aussi, faisait un rapprochement, il parla de l'autre accident, tenant à nous remercier, à son tour, d'avoir sauvé le matelot du *Caprice*. Certainement, pour ne pas le troubler, Saga ne lui avait pas confié ses craintes, car il n'ajouta rien.

Un moment plus tard, il nous vantait les charmes de la Savoie quand quelqu'un frappa et entra : la cuisinière.

« Excusez-moi, monsieur Alméri, dit-elle, c'est l'heure de prendre votre médicament. »

Elle tenait une fiole brune, marquée d'une étiquette rouge. À l'aide d'un compte-gouttes, elle versa une petite dose de liquide dans un verre qu'ensuite elle emplit d'eau. M. Alméri but à petites gorgées. À la dernière, il ne put réprimer une légère grimace.

« Pardonnez-moi, fit-il en souriant, ce remède est détestable. Dire que les premiers temps, je lui trouvais presque bon goût !

— Tout simplement, papa, fit Saga, tu commences à t'en lasser. »

De crainte de le fatiguer, nous ne nous attardâmes pas chez le malade à qui, cependant, notre visite avait plu. Nous ne voulions pas, non plus, embarrasser plus longtemps Saga. Mais, sur le palier, elle nous arrêta.

« Non, ne partez pas encore, dit-elle, montrant de nouveau sa chambre. J'ai quelque chose à vous demander. »

Le ton de sa voix était redevenu grave, inquiet. Chacun reprit sa place dans la chambre de la jeune fille.

« Oui, fit-elle, tout à l'heure, je n'ai pas osé.

J'aurais pourtant un grand service à vous demander. Je sais, vous allez me trouver ridicule, mais vous connaissez ma peur. Je suis plus inquiète encore que je ne l'ai avoué, la nuit surtout. Je vous ai montré, l'autre jour, la petite tour carrée où je me rends souvent et dont je possède seule la clef. J'ai pensé que... peut-être...

— J'ai compris ! » interrompit une voix, celle de Gnafron.

Saga tressaillit et leva vers lui un regard étonné.

« Oui, poursuivit Gnafron, j'ai deviné ; tu aimerais que nous venions coucher dans la tour, n'est-ce pas ? Tu te sentirais plus en sécurité ? »

Elle rougit.

« Comment as-tu su ? »

Gnafron se contenta de sourire. La bande l'approuvait. Si cela pouvait tranquilliser Saga, nous ne demandions pas mieux que de venir coucher dans la tour, tant que M. et Mme Reinbach ne seraient pas de retour... et même après, si elle voulait.

Saga était si émue de voir que nous avions devancé sa demande qu'elle en avait les larmes aux yeux.

« C'est vrai, fit-elle, vous ne me trouvez pas ridicule de m'effrayer ainsi ?... Vous n'aurez pas peur, vous-mêmes, dans cette tour ? »

Toute l'équipe se mit à rire. Non, vraiment, la peur était la dernière des choses à laquelle nous aurions pensé. Et que risquions-nous avec un chien comme Kafi ? Au contraire, cette proposition nous emballait.

« Entendu, dit Corget, tu peux compter sur nous, dès ce soir.

74

— Oh ! protesta Saga, je ne vous demande pas de venir tous à la fois ; d'ailleurs vous n'auriez pas assez de place pour coucher dans la tour... et ce ne serait que pour trois ou quatre nuits seulement. »

Elle ajouta :

« Pour que vous ne rencontriez pas le jardinier ou la cuisinière quand vous arriverez ou repartirez, je vais vous indiquer le moyen de pénétrer dans la propriété sans être vus. Vous quittez la grand-route pour longer le mur du parc et descendez jusqu'au bord du lac. À cet endroit, le mur s'arrête sur les rochers, vous pouvez entrer facilement. Ensuite vous remontez à travers le parc, dans les broussailles ; le bas de la tour est complètement caché par les frondaisons. »

Elle se leva et, toujours à cloche-pied, s'approcha de la fenêtre.

« Vous voyez, on aperçoit parfaitement d'ici le sommet de la tour, une sorte de terrasse. Si je devais vous appeler, je vous ferais des signaux en allumant et éteignant ma lampe.

— Nous aussi, dit Bistèque, nous pourrons communiquer avec toi par une torche électrique. »

Elle revint près de son lit et ouvrit le tiroir de sa table de chevet.

« Voici la clef de la tour, la seule qui existe. Personne ne risque donc de vous déranger. D'ailleurs, le jardinier n'a rien à faire de ce côté, c'est le coin abandonné du parc. »

Puis, à nouveau gênée :

« Quelle idée devez-vous avoir de moi ? Vous pensez que je me comporte comme une gamine, n'est-ce pas ? »

Mady la rassura, affirmant qu'à sa place, dans ce

château isolé, près de la grand-route, elle aurait aussi très peur, la nuit.

« Naturellement, ajouta Saga un doigt sur les lèvres, pas un mot de tout cela à Victor. Il croirait que je manque de confiance en lui. Il est pourtant si dévoué. »

Elle nous remercia encore, nous faisant promettre de revenir la voir « officiellement », et nous laissa repartir, à la fois bouleversée et rassurée.

Comme nous allions sortir du parc, une voiture se présenta à la grille. Totor rentrait d'Évian dans la 2 CV dont une des portières arrière était à demi ouverte, maintenue par une ficelle, à cause du vélo qui ne pouvait y tenir en entier. Le matelot du yacht sauta à terre et se précipita vers nous.

« C'est sympa d'être venus la voir ! Elle a dû être contente ! »

Puis, se tournant vers la voiture :

« Regardez mon carrosse !... complètement remis à neuf comme si de rien n'était... mais, vous le savez, jamais deux sans trois. Je me demande ce qui va m'arriver la prochaine fois. »

Et il partit d'un grand éclat de rire comme si vraiment il s'attendait à une nouvelle bonne plaisanterie.

Chapitre 9

Jamais deux sans trois

Saga l'avait dit, la tour manquait de place. Nous ne pourrions nous y entasser tous les six... et même tous les sept, avec Kafi. Par prudence aussi, il convenait de ne pas venir trop nombreux. Après notre visite à Saga, nous avions donc décidé de nous diviser en trois équipes de deux qui monteraient la garde, là-bas, par roulement.

Tous se portant volontaires pour le premier soir, un tirage au sort avait été nécessaire. Bien entendu, pas question d'emmener Mady. Elle avait d'ailleurs un rôle tout désigné. Chaque après-midi, elle ferait une visite « officielle » à Saga. Le jardinier et sa femme seraient moins agacés de la voir arriver, sans une bande de garçons. Peut-être par la suite, après le retour de M. et Mme Reinbach, pourrait-elle continuer ses visites ? En somme, elle servirait d'agent de liaison. Si du nouveau se produisait au château nous en serions avertis par elle.

Le premier soir, la Guille et Corget, désignés par le sort, quittèrent Meillerie à la tombée de la nuit, emportant leurs sacs de couchage. Ils rentrèrent le lendemain matin, alors que nous dormions encore, satisfaits de leur expédition. Aucune difficulté ne les avait arrêtés en franchissant la clôture du parc. Ils avaient même échangé des signaux lumineux avec Saga dont la silhouette se découpait dans l'embrasure éclairée de sa fenêtre.

À son tour, dans le courant de l'après-midi, Mady se rendit au château. La cuisinière, moins rude que son mari, ne lui fit pas mauvaise figure en la conduisant chez Saga. Mady nous rapporta que la jeune fille s'était montrée si heureuse de cette visite qu'elle l'avait embrassée. Par son intermédiaire, elle nous remerciait vivement. Grâce à notre présence, à nos signaux, elle s'était sentie rassurée et avait passé une meilleure nuit.

Ensuite, vint mon tour de garde, avec Gnafron. Kafi, bien entendu, faisait partie de toutes les équipes. Enfin, le tour du tandem Bistèque-le Tondu... et de nouveau, pour recommencer, celui des deux premiers.

Chaque après-midi, nous attendions avec impatience le retour de Mady pour avoir des nouvelles de Saga. Hélas ! un jour, la jeune fille expliqua à Mady :

« Dis aux Compagnons de la Croix-Rousse de ne plus se déranger. M. et Mme Reinbach doivent rentrer aujourd'hui, dans la soirée. Ils ont téléphoné pour annoncer leur arrivée... mais toi, tu pourras continuer de venir. Si tu savais comme tes visites me font plaisir ! Elles m'aident à oublier mon chagrin, causé par la santé de papa. »

Ce soir-là, donc, la bande au complet passa la nuit dans le « bidon ». Le lendemain, nous attendîmes avec plus d'impatience que les autres jours le retour de Mady. Elle reparut vers cinq heures, consternée. Saga lui avait dit que Mme Reinbach, renseignée par la cuisinière, ne voyait pas d'un très bon œil ses visites au château. La femme de l'associé de M. Alméri lui avait fait entendre qu'elle n'était encore qu'une petite fille et que *Bella Vista* ne lui appartenait pas à elle toute seule. « D'ailleurs, avait-elle ajouté, ces garçons et cette fille ne sont pas de votre milieu. Sait-on au juste d'où ils viennent et ce qu'ils font ?... Et puis, pensez à votre père, Saga ! Nous sommes venus ici pour qu'il trouve le calme complet. *Bella Vista* ne doit pas devenir un moulin où tout le monde peut entrer. Vraiment, vous ennuyez-vous tant malgré la peine que nous nous donnons, M. Reinbach et moi, pour vous sortir en voiture, vous promener sur le lac ? »

En répétant ces paroles, Saga avait montré tant de tristesse que Mady lui avait proposé :

« Si je ne dois plus venir, Saga, toi, au moins, pourrais-tu nous rejoindre à Meillerie ?

— Sans doute, avait répondu Saga. À présent, ma jambe est presque guérie et je suis libre d'aller où je veux... Cependant, on saura vite où je me rends. Mme Reinbach me fera comprendre, d'une manière discrète, qu'elle me désapprouve. Je ne voudrais pas lui déplaire, surtout en ce moment où papa est malade. »

Assise parmi nous au bord du lac, Mady paraissait aussi ennuyée que la jeune fille.

« Tu ne lui as rien proposé ? demanda le Tondu.

— Si, j'ai eu une idée. Puisque vous pouvez facilement vous introduire dans la tour sans être vus, j'ai pensé, qu'à défaut de nous voir, nous pourrions échanger des messages. Saga les apporterait dans la tour et vous viendriez les prendre, la nuit. Ainsi, le fil ne serait pas rompu entre elle et nous. Cette proposition l'a soulagée.

— Et vous avez déjà organisé ces échanges ? s'enquit Bistèque.

— Nous nous sommes entendues. Elle déposera ses messages dans la tour, entre la troisième et la quatrième marche de l'escalier intérieur. Quant à la clef, elle la laissera dans le parc, sous un petit tas de feuilles mortes, au pied du gros hêtre, à gauche de la tour, quand on la regarde de face. Pour la rassurer complètement, je lui ai promis que vous viendriez toutes les nuits visiter cette boîte aux lettres. Ai-je eu tort de m'engager ainsi pour vous ? »

La bande protesta, unanime :

« Tu es tout simplement géniale ! s'exclama la Guille. Nous n'aurions rien trouvé de mieux.

— Entendu, approuva le Tondu. Nous commencerons nos tournées dès ce soir, en allant placer la clef dans sa cachette. »

Nos visites nocturnes à *Bella Vista* se poursuivirent donc, sans interruption, toujours par roulement, chaque fois accompagnés de Kafi. Au lieu de coucher dans la tour, nous ne faisions qu'aller et venir. Les trois premiers jours... ou plutôt les trois premières nuits, tout se passa bien. L'équipe de service partait très tard, de façon à éviter les mauvaises rencontres autour du château, et rentrait à Meillerie aux alentours de minuit. Nos camarades rapportaient alors trois ou quatre longues pages écrites par Saga, en échange d'une lettre, presque aussi longue, de Mady, à laquelle nous avions tous ajouté quelque chose. Ainsi, on sut que Saga ne souffrait plus de sa jambe. M. Reinbach l'avait conduite chez le médecin qui avait enlevé les agrafes. Elle ne portait plus qu'un léger pansement, qui ne la gênait pas pour la marche. Le château demeurait calme. Personne n'y parlait plus des deux accidents. Victor, plus gai que jamais, avait commencé son apprentissage de la natation dans le petit port. Depuis leur retour, M. et Mme Reinbach se montraient plus gentils avec Saga, surtout Mme Reinbach. Sans doute voulait-elle, ainsi, la remercier de ne plus recevoir personne à *Bella Vista*.

Cependant, un nouvel événement n'allait pas tarder à raviver nos craintes. Ce soir-là, c'était mon tour de sortie, avec Gnafron. Il était près de minuit. Nous avions suivi la grand-route sous une petite pluie fine et froide qui faisait penser aux mauvais jours d'automne. Nos imperméables sur le dos, nous avions franchi sans encombre le mur du parc, et nous remontions vers la tour, quand Kafi s'immobilisa, laissant échapper un sourd grondement. Je serrai le bras de Gnafron pour l'inviter à s'arrêter. L'oreille tendue, j'écoutai attentivement.

« Il a dû flairer une bête des bois, souffla Gnafron. Corget m'a dit qu'une fois déjà, il l'a retenu d'aboyer après un hibou qui s'envolait d'un arbre. »

Cependant, je connaissais mon chien. Il avait plusieurs façons de gronder. Cette fois, il s'était arrêté net, retenant son souffle, comme si le bruit n'était pas un simple froissement de broussailles causé par une bête sauvage. Le tenant solidement par le collier, j'attendis un moment, le cœur battant. Le bruit ne se répétant pas, je me glissai à nouveau, avec Gnafron, à travers les frondaisons.

Malgré l'obscurité épaisse, je distinguais déjà la forme de la tour quand Kafi s'arrêta une seconde fois, figé dans la même attitude. Aucun doute, quelqu'un était là, dans le parc. Nous avions été repérés. Par qui ? M. Reinbach ?... Le jardinier ?

Je n'eus pas le temps de me poser cette question. Kafi faillit m'échapper pour bondir en avant. Près de la tour, des feuillages s'agitèrent dans un bruit de branches froissées.

« Vite, Gnafron, sauvons-nous ! »

Mais au même moment, une voix nous arrêta :

« Ne fuyez pas !... je vous attendais. »

C'était Saga. Nous fûmes aussitôt près d'elle. Que faisait-elle, en pleine nuit, dans le parc ?

« Je vous attendais, glissa-t-elle à voix basse. Venez, j'ai déjà pris la clef sous les feuilles. »

Elle s'approcha de la tour. Sa main tremblait si fort qu'elle fut incapable d'ouvrir elle-même. Par chance, la tour ne prenait jour que par une étroite fenêtre en forme de meurtrière, donnant sur la face opposée au château. Notre lumière ne pouvait être aperçue de *Bella Vista*. Je pressai sur le bouton de ma torche électrique, prenant tout de même la précaution de recouvrir le verre avec mon mouchoir. En pyjama de nuit, un imperméable simplement jeté sur ses épaules, Saga paraissait en proie à la plus vive émotion.

« J'avais besoin de vous voir, dit-elle vivement. Ce soir, il s'est passé quelque chose au château.

— Un accident ?

— Oui, encore un accident... et toujours à Victor !

— C'est grave ?

— Non... mais il aurait pu en mourir. »

L'émotion, le froid de la nuit lui coupaient le souffle. Elle s'assit sur la première marche de l'escalier intérieur conduisant à la terrasse et poursuivit :

« Est-ce un accident ?... autre chose ? Comment savoir ? Je peux seulement dire que Victor a encore eu beaucoup de chance. Cet après-midi, il avait graissé et vidangé les deux voitures. Il venait de terminer son travail et montait dans sa chambre faire sa toilette, quand je l'ai rencontré. Je lui ai proposé d'utiliser ma salle de bains. Dix minutes après, le jardinier, occupé à cirer une chambre voisine, l'a entendu appeler au secours. M. Reinbach, lui aussi, se trouvait à proximité. Il s'est précipité vers la salle de bains. Heureusement, Victor avait oublié d'en fermer la porte à clef. Il a découvert le malheureux se débattant sur le carrelage. Le garçon venait de recevoir une violente décharge électrique.

— Électrocuté ?... D'où venait le courant ?

— D'un petit radiateur électrique que je branche parfois dans la salle de bains quand il ne fait pas chaud. Les installations du château ne sont pas très modernes, en particulier dans cette pièce. Le radiateur était placé sur une étagère, au-dessus de la baignoire, comme d'habitude. Il est tombé dans l'eau au moment où Victor vérifiait le fonctionnement de la douche, avant de prendre son bain. Une forte décharge l'a projeté à la renverse. Il paraît que les fils du radiateur et le tuyau souple de la douche étaient emmêlés. Je ne comprends d'ailleurs pas pourquoi. Hier, tout m'avait paru en ordre. M. Reinbach a déclaré que si Victor n'avait pas été isolé par ses sandales, qu'il n'avait pas encore quittées, la secousse aurait été plus violente et que, si le malheureux s'était trouvé entièrement dans l'eau, il n'en réchappait pas. »

Elle parlait d'une voix hachée, bouleversée par ce nouvel accident qui remontait pourtant à six heures du soir.

« Vous comprenez, fit-elle, ce n'est pas le premier accident qui arrive à Victor, mais le troisième en moins de deux semaines !... »

Je lui demandai si, d'ordinaire, Totor ne disposait pas d'un autre endroit pour sa toilette complète. Il me semblait, en effet, que dans une telle maison, le personnel devait avoir sa propre salle de bains.

« Certainement, fit Saga, mais elle n'est pas en état de fonctionner. Comme elle est exposée en plein nord, le gel de l'hiver dernier a fait éclater la tuyauterie. Puisque le jardinier et sa femme rentrent chez eux, chaque soir, et ne l'utilisent pas, M. Reinbach n'a pas jugé utile de faire venir les plombiers. Il craignait que le bruit ne dérange papa.

— Cependant, Totor l'utilisait parfois ?

— Non. Il fait sa toilette de grand matin, au bord du lac, quand personne n'est encore levé. Ainsi que je vous l'ai dit, c'est moi qui lui ai proposé ma salle de bains. Oh ! comme je m'en veux, à présent ! On dirait que je lui attire des malheurs. Cependant, il a encore pris la chose du bon côté. Une heure après l'accident, il plaisantait à nouveau, répétant qu'il avait eu l'impression qu'un tire-bouchon lui traversait le bras... mais moi, je ne m'en console pas. »

Elle se prit la tête dans les mains et pleura.

« Voyez-vous, soupira-t-elle, j'aurais préféré que cet accident m'arrive à moi... Il s'en est d'ailleurs fallu d'un rien... mais il aurait sûrement été plus grave.

— Plus grave ? Que veux-tu dire ?

— D'ordinaire, j'utilise ma salle de bains à cette heure-là, mais je ne prends ma douche qu'au dernier moment, pour me rincer. Si les fils étaient croisés avec le tuyau de la douche, le radiateur aurait basculé quand j'étais dans la baignoire et j'aurais été électrocutée. »

Il y eut un silence. Comme moi, Gnafron éprouva une subite angoisse. Saga en eut-elle conscience ? Elle demanda vivement :

« À quoi venez-vous de penser ?... Vous aussi, vous avez peur, n'est-ce pas ? Vous trouvez de plus en plus mystérieux les événements qui se passent dans ce château ? »

Comment la rassurer, sinon par une plaisanterie ? Gnafron répéta les paroles de Totor : jamais deux sans trois. Par conséquent, à présent, le sort était conjuré.

D'ailleurs, à tout prendre, cet accident n'avait probablement rien d'extraordinaire. Totor avait joué de malchance, sans plus.

Saga soupira :

« J'ai tout de même bien fait de venir vous voir. Je me sens soulagée. Vous avez raison, cette fois-ci il s'agit d'une simple malchance. »

Cependant, elle tremblait encore, sous son

imperméable mouillé, qu'elle n'avait pas quitté. Je lui promis de rester dans la tour jusqu'au matin, pour que notre présence la rassure. Puis je lui conseillai de vite rentrer au château et de se mettre au lit pour se réchauffer.

Apaisée, elle poussa la porte sans bruit et, dans la nuit épaisse, sa mince silhouette se confondit aussitôt avec les frondaisons. Je regardai Gnafron. Malgré ce que nous venions de dire à Saga, pas plus que moi, il ne croyait à un banal accident.

Chapitre 10

Six garçons
ne valent pas une fille

Le petit jour se levait au moment où nous atteignions Meillerie. Nos camarades, inquiets, nous attendaient avec impatience, prêts à prendre leurs vélos pour partir à notre rencontre.

En nous voyant déboucher sur le sentier, ils poussèrent des cris de Sioux. Cependant, apprenant qu'un nouvel accident avait failli coûter la vie à Totor, leur soulagement se transforma en stupeur. Devant la tasse de café au lait que Bistèque venait de faire chauffer pour nous réconforter, j'expliquai, aidé de Gnafron, ce qui s'était passé la veille au château. Mot pour mot, je rapportai les paroles de Saga.

Pour mes camarades comme pour nous deux, le fait que Totor n'avait pas l'habitude d'utiliser cette salle de bains parut des plus troublants. Si vraiment il s'agissait d'un nouveau mauvais coup, sa préparation avait été rapide. Quelqu'un aurait donc entendu Saga proposer sa salle de bains à Totor et ce mystérieux inconnu se serait aussitôt précipité pour « trafiquer » le fil du radiateur et placer celui-ci en équilibre instable au bord de l'étagère, de façon qu'il bascule dans l'eau au moment où une main saisirait la poignée de la douche.

À première vue, cet inconnu pouvait être le jardinier, occupé à cirer une pièce voisine... ou M. Reinbach qui, par hasard, se trouvait, lui aussi, à proximité.

Une discussion serrée s'engagea. Comment savoir si, cette fois, il ne s'agissait pas d'un accident ?

« Attendons l'avis de Mady, fit le Tondu. Il est un peu tôt encore pour frapper à sa porte ; tout à l'heure, j'irai la chercher. »

Dès neuf heures, il se rendit au village. En robe de chambre devant un bol de chocolat, Mady prenait son petit déjeuner en compagnie de sa mère. Cette visite matinale la surprit. Elle flaira aussitôt de nouveaux événements. Cependant, devant sa mère, le Tondu préféra ne rien dire. À quoi bon la mettre au courant de nos préoccupations ? Mady acheva son bol en hâte et, un quart d'heure plus tard, elle nous rejoignait dans notre « bidon ».

Alors, je repris le récit de Saga et la bande au complet se jeta dans une nouvelle discussion. Deux questions se posaient : Qui s'acharnait contre Totor... et pourquoi voulait-on le faire disparaître ?

Totor était la franchise même. Avait-il eu, cependant, d'autres ennuis dont il ne voulait pas parler ? Supposition peu vraisemblable, d'autant plus qu'il ne nous avait pas caché sa brouille avec le jardinier. Alors, Totor simulait-il des accidents pour une raison quelconque ? La Guille affirma avoir connu, à Lyon, un garçon qui s'était lui-même blessé, à plusieurs reprises, afin d'attirer l'attention sur lui. Mais ce n'était pas le genre de Totor. Au contraire, par trois fois, il avait minimisé l'affaire, au lieu de la monter en épingle.

« Pour moi, déclara Bistèque, nous avons affaire à un maniaque, je dirais même à un fou, qui se croit persécuté par Totor et cherche à se venger... et je ne vois guère que le jardinier. D'ailleurs, il se trouvait sur les lieux chaque fois qu'est arrivé quelque chose. Totor l'a dit en riant, mais il l'a tout de même constaté, le jardinier rôdait autour du garage peu de temps avant l'accident de la 2 CV.

— M. Reinbach, lui aussi, se trouvait là chaque fois, rétorqua le Tondu... et Mme Reinbach... et Saga. Ces rapprochements ne signifient rien. »

En somme, autour de cette affaire, c'était la nuit complète. Il fallait soupçonner tout le monde ou personne. Surtout, nous n'avions pas découvert le « mobile » comme on dit dans les romans policiers.

Cependant, Mady, qui n'avait rien manifesté depuis un long moment, se leva brusquement. Son visage, souriant d'habitude, me frappa. Elle avait l'air absent, telle une somnambule qui poursuit son rêve et ne se rend pas compte de la réalité. Elle déclara :

« Écoutez-moi, nous nous trompons tous ! »

L'assurance avec laquelle elle avait prononcé ces mots nous saisit. Tournés vers elle, nous attendîmes la suite.

« Oui, reprit-elle, si Victor n'était pas visé ?... si c'était par erreur que ces trois accidents lui soient arrivés, à lui... à la place d'un autre ? »

Elle se tut, le regard toujours absent, en proie à une profonde réflexion.

« Oh ! Mady, fit la Guille, que vas-tu imaginer ? C'est par trop invraisemblable.

— Et pourtant... »

Elle n'ajouta rien, mais au lieu de se rasseoir, elle tourna les yeux vers le lac dans la direction où, quinze jours plus tôt, nous avions repêché Totor.

« Oui, reprit-elle, après ce que vous venez d'apprendre sur ce dernier accident, je suis convaincue que nous faisons fausse route. Victor n'est pas visé !

— Qui, alors ? » demanda Gnafron.

Elle nous considéra l'un après l'autre et, dans le silence qui emplissait notre « bidon », lâcha un nom :

« Saga ! »

La bande entière poussa un « oh ! » de surprise.

« Saga ? reprit le Tondu complètement éberlué, comment en es-tu arrivée là ?

— Reprenons les événements par le début, je veux dire par le plongeon de Victor. Souvenez-vous des détails. Ce soir-là, Saga ne jouait pas aux cartes dans la grande cabine du yacht. Elle s'était retirée dans l'autre, qui lui fait suite et d'où, justement, on peut atteindre le pont du bateau. Il lui arrivait probablement assez souvent de monter sur ce pont pour rêver, dans la fraîcheur du soir. Totor, par contre, aurait dû être à son poste, au gouvernail. Or, vous l'avez constaté comme moi, Totor et Saga sont à peu près de la même taille. En outre, ce soir-là, Saga portait, comme lui, un pantalon blanc. Dans la nuit, leurs silhouettes pouvaient par-

90

faitement se confondre... ce qui a dû se produire. Victor a été poussé à l'eau par erreur, à la place de Saga.

— Ce serait possible, en effet, approuva Gnafron ; Victor est à peine plus grand qu'elle et presque aussi mince ! Mais l'accident de voiture ?

— Justement, Saga devait se rendre chez le dentiste. Elle avait donc pris un rendez-vous d'avance. Il est probable qu'au château une ou plusieurs personnes le savaient. On peut supposer que le coupable a saboté la 2 CV, quitte à faire deux victimes au lieu d'une... ce qui, en cas d'enquête, avait même l'avantage d'égarer les soupçons.

— C'est encore vrai, fit la Guille, mais le troisième accident, comment l'expliques-tu ?

— Plus facilement, c'est lui qui m'a mis la puce à l'oreille. Le coup était habilement monté. Souvenez-vous encore. Saga a l'habitude de prendre son bain vers six heures et personne d'autre n'utilise cette salle de bains. Tout à fait par hasard, et inopinément, elle a invité Totor à y faire sa toilette. Ce changement de la dernière heure, le coupable ne l'avait pas prévu... et ne pouvait le prévoir. Donc, c'est Saga qui devait être électrocutée, en prenant sa douche à la fin du bain. »

Mady s'arrêta à bout de souffle, la gorge serrée par l'émotion. Nous autres restions bouche bée. Cette explication logique, vraisemblable, ne souffrait aucune objection. Fascinés par l'idée que Totor était menacé, nous n'avions rien voulu voir d'autre.

Mais alors une question, toujours la même, se posait. Qui pouvait en vouloir à Saga ? M. Reinbach était autoritaire, il ne sympathisait guère avec la jeune fille, mais il avait consenti à passer de longues vacances en Savoie pour accompagner son père. Mme Reinbach ?... Elle ne s'intéressait qu'à ses toilettes ; tout le reste lui était indifférent. Restaient le jardinier et sa femme. Évidemment, le jardinier paraissait un drôle de bonhomme, au caractère bizarre. Saga, elle-même, le reconnaissait, mais à part l'affaire des bégonias... d'ailleurs terminée, on ne voyait pas le mobile qui l'aurait poussé à commettre un crime. À notre surprise succéda l'embarras.

« Pourtant, s'inquiéta le Tondu, si, comme je commence à le croire moi aussi, Saga est en danger, qu'allons-nous faire ?... La prévenir ? »

Mady ne sut trop que répondre.

« C'est délicat. Nous avons des doutes, mais aucune certitude. Nos soupçons ne peuvent se porter sur personne en particulier. Si nous avertissons Saga, elle s'affolera et sa peur ne lui servira pas à se protéger puisqu'elle ne saura pas qui la menace. Même prévenue, elle ne sera pas à l'abri d'un nouvel accident.

— Alors, la police ? » fit la Guille.

Gnafron haussa doucement les épaules.... comme chaque fois que l'un d'entre nous parlait de mêler la police à nos affaires.

« Je doute que la police se dérange. Aucune plainte n'a été déposée. Pour l'instant, il n'y a ni coupables ni victimes, seulement des accidents. Les gendarmes ou le commissaire nous fermeront leur porte au nez, en nous priant de nous occuper de ce qui nous regarde.

— Pourtant, fit le Tondu, nous n'allons pas rester les deux pieds dans le même sabot à attendre qu'un malheur arrive à Saga. Il faut faire quelque chose, vite.

— D'accord, dit Corget. Je propose de prévenir Totor. Tant qu'il s'agissait de lui, rien ne le touchait. À présent, c'est autre chose. Il a trop d'amitié pour Saga ; il ne restera pas indifférent, croyez-moi !

— Quant à nous, ajouta Gnafron, rien ne nous empêche de monter la garde nuit et jour dans la tour. Sans dire exactement à Saga la menace qui pèse sur elle, nous pouvons lui expliquer que nous sommes curieux de savoir ce qui se passe au château ; elle ne s'en étonnera pas. Au contraire, elle sera soulagée à la pensée d'avoir la possibilité de nous rejoindre à tout moment. Qu'en pensez-vous ? »

Toute l'équipe approuva.

« Donc, poursuivit Gnafron, dès maintenant, partons à la recherche de Totor. Que deux d'entre nous aillent se poster sur la grand-route, de chaque côté du château. Dès que Totor sortira seul en voiture, dans une direction ou dans l'autre, nous l'arrêterons. »

Puis, se tournant vers nous en souriant :

« Dire que Mady, toute seule, a trouvé la clef du mystère ! Décidément, six garçons ne valent pas une fille ! »

Chapitre 11

Un certain petit flacon

Sans interruption, depuis trois jours et trois nuits, nous nous relayions dans la tour. Il ne s'était plus rien passé... ce qui ne nous surprenait pas, un certain temps s'écoulant toujours entre deux « accidents » comme si leur auteur tenait à calmer les soupçons. Cependant, nous restions sur nos gardes... et Totor aussi.

Car Totor était au courant. En apprenant la troublante découverte de Mady, il avait commencé par rire aux éclats, disant que nous avions de curieuses façons de faire travailler nos méninges. Cependant, l'idée que Saga pouvait courir un danger l'avait ébranlé.

« Évidemment, avait-il fait, moi, je me moque de tout, mais si Saga est menacée, c'est différent. »

Il avait promis d'avoir l'œil... et il l'avait. S'il conduisait Saga quelque part, il commençait par se fourrer à plat ventre sous la voiture pour vérifier freins, roues et direction. S'il pilotait le yacht, au cours d'une sortie nocturne sur le lac, il lâchait dix fois le gouvernail pour se pencher à bâbord et s'assurer, par un hublot, que Saga reposait sur sa couchette, dans la cabine.

Il avait également vérifié toutes les installations électriques de la salle de bains et de la chambre de Saga. Précaution certainement inutile car, son coup manqué, s'il devait encore se manifester, le coupable choisirait certainement un autre procédé. Enfin, quand il se trouvait seul avec la jeune fille, il lui posait toutes sortes de questions qui intriguaient Saga au point qu'elle nous en parla.

« Je ne comprends pas Victor, fit-elle un après-midi en nous rejoignant dans la tour ; il n'est plus comme avant. Il me suit partout comme un caniche. Il passe également des heures entières, dans le garage, à vérifier l'état des voitures... et il ne sifflote plus jamais en travaillant. »

Nous avions répondu que si, au début, Totor n'avait pas pris au sérieux ses accidents, il avait tout de même fini par s'en inquiéter et il se méfiait.

« Pauvre Victor, avait-elle soupiré en acceptant notre explication, nous aurions tous tant de chagrin s'il lui arrivait quelque chose ! »

Ainsi, chaque jour, matin et soir, Saga trouvait le moyen de se glisser discrètement dans le parc pour nous rejoindre. Elle restait un long moment avec nous ; notre présence la rassurait sans toutefois dissiper l'étrange malaise qu'elle continuait d'éprouver.

« Je suis idiote, disait-elle, il ne peut plus rien arriver de fâcheux à Victor, pas plus qu'à personne d'ailleurs. Je ne devrais penser qu'à me réjouir des gentillesses de M. et Mme Reinbach. Ils ont eu un geste qui m'a touchée. Papa aime beaucoup les vieux livres ; ils lui ont rapporté de Lorraine une édition rare qui lui a fait très plaisir. Je me sens presque gênée de ne pouvoir les aimer davantage. »

Donc, depuis trois jours, nous montions la garde dans la tour. Deux Compagnons arrivaient après la tombée de la nuit. Deux autres venaient les relever un peu avant l'aube et ceux-ci demeuraient dans la tour jusqu'au soir. Bien sûr, dans cette petite salle nue et humide, les heures paraissaient longues. Nos seules distractions étaient les visites de Saga qui, comme convenu, frappait deux fois trois petits coups pour se faire ouvrir.

En plein jour, il n'était guère prudent de monter sur la terrasse d'où nous aurions pu être aperçus des fenêtres du château. Nous nous y risquions pourtant, en prenant la précaution de demeurer à plat ventre, sur le ciment, pour que nos silhouettes ne dépassent pas le petit parapet crénelé. Le père Tap-Tap nous avait prêté une paire de jumelles de marine qui permettait de distinguer les moindres objets dans les pièces. Naturellement, toutes les fenêtres ne donnaient pas de notre côté. Nous découvrions seulement celle de Saga, les deux grandes baies du salon, celle d'une chambre inhabitée dont les volets restaient fermés et celle de la cuisine. À travers celle-ci, nous ne pouvions guère que deviner les évolutions de la cuisinière, car, plus haute que les autres, cette ouverture ne laissait voir que les membres levés des personnages qui se déplaçaient derrière ses vitres. C'est pourtant cette fenêtre qui, un après-midi, allait attirer mon attention.

Je me trouvais de garde avec Gnafron. Vers deux heures et demie, comme nous savions que Saga ne viendrait que plus tard, nous étions montés sur la terrasse. Étendus sur le ciment, nous contemplions le château à travers un des étroits créneaux qui donnaient à la tour un faux air moyenâgeux.

Je regardais vers la cuisine quand, soudain, je vis un bras se lever et atteindre quelque chose sur une étagère. Pour avoir maintes fois examiné les lieux à la jumelle, je devinai que la main saisissait la fiole brune contenant le médicament de M. Alméri. Ce geste me surprit. En effet, par Saga, je savais que son père prenait régulièrement son remède le matin, à dix heures et l'après-midi, après sa sieste, au plus tôt à quatre heures. Or, il n'était que deux heures et demie. M. Alméri avait-il changé ses habitudes ? Aurait-il, pour une fois, renoncé à sa sieste alors que nous le savions toujours aussi souffrant ? Je saisis le bras de Gnafron.

« Descends vite chercher les jumelles ! »

Il dégringola au bas de la tour, où, pour une fois, nous les avions laissées. Hélas ! quand il me les tendit, la main avait déjà replacé la fiole sur l'étagère. Cette rapidité, autant que le geste, me parut bizarre. D'ordinaire s'écoulait plus de temps entre le moment où la cuisinière prenait le flacon et celui où elle le rapportait. Le va-et-vient demandait plusieurs minutes puisqu'elle devait se rendre dans la chambre de M. Alméri, verser quelques gouttes de médicament dans un verre, remplir d'eau celui-ci et revenir à la cuisine en rapportant également le verre pour le rincer.

Alors, je me demandai si c'était bien la cuisinière que j'avais aperçue. Le bras que j'avais vu se lever était nu. Ce pouvait être aussi bien celui de Mme Reinbach, de Saga... ou même le bras d'un homme qui aurait retroussé ses manches.

« Bah ! fit Gnafron, pourquoi te tracasser ? Où vois-tu quelque chose d'anormal ? Le flacon était peut-être vide ; quelqu'un l'a remplacé... ou le père de Saga a pris son médicament plus tôt que d'habitude pour aller faire un tour sur le lac. »

Je lui conseillai de redescendre au bas de la tour, au cas où Saga frapperait, et je m'entêtai à rester sur la terrasse jusqu'à l'heure où, normalement, M. Alméri prenait son remède. À ma grande surprise, exactement à quatre heures douze, un bras s'étendit à nouveau, celui de Saga me semblat-il, en direction de la petite fiole... qui revint prendre sa place sept minutes plus tard. Je ne m'étais donc pas trompé. La première fois, la fiole n'avait pu disparaître pour aller dans la chambre de M. Alméri.

Intrigué, je redescendis rejoindre Gnafron et, quelques instants plus tard, Saga frappait à la porte. Je lui demandai si la cuisinière se trouvait bien dans sa cuisine vers deux heures et demie.

« Quelle drôle de question ! fit-elle. La soupçonnerais-tu, elle aussi ? Justement non, elle s'est absentée un moment, cet après-midi, pour aller voir son fils dont la maladie s'est aggravée ces jours-ci. C'est même moi qui ai préparé le médicament de papa, après sa sieste.

— À quelle heure ?

— Quand il a sonné, vers quatre heures.

— Tu n'es pas entrée dans la cuisine, avant ?

— Non, je n'avais rien à y faire. Après le repas, la cuisinière a commencé de faire la vaisselle et, quand elle est partie, son mari, le jardinier, est venu la finir... Mais pourquoi ces questions, Tidou ?

— Pour rien, Saga. Nous voulons tout surveiller, tout savoir, alors je m'étonnais d'apercevoir quelqu'un que je ne reconnaissais pas. C'est probablement le jardinier que j'ai vu, à travers les vitres. »

Saga accepta mon explication et n'insista pas. Cependant, je ne serais pas tranquille tant que je n'aurais pas éclairci ce mystère. Sous un prétexte futile, je priai Saga de nous envoyer Totor, dès qu'il aurait un instant de liberté.

Il arriva une demi-heure plus tard, surpris de notre appel. Je lui demandai s'il lui était possible de s'introduire en cachette dans la cuisine.

« Dans la cuisine ? fit-il en riant. Pour surveiller les plats ?

— Sur une étagère, à côté du placard blanc, tu apercevras une fiole brune à étiquette rouge, pas plus haute que ça. Tu te débrouilleras pour te procurer un petit flacon bien propre et tu verseras un peu du liquide de la fiole dans ce flacon... que tu nous rapporteras ensuite.

— Que voulez-vous en faire ? Vous aussi, vous avez une maladie de cœur ?

— Ne t'inquiète pas. Surtout que personne ne te voie... et ne prélève pas trop de médicament ; il ne faut pas que ça se remarque ! Et puis, pas un mot à Saga, elle s'imaginerait toutes sortes de choses. »

Quand il fut parti, Gnafron me regarda, les yeux ronds.

« Je ne comprends pas, Tidou. Tu crois que...

— Je ne sais rien, mais il faut penser à tout. Souviens-toi de notre visite à M. Alméri, l'autre jour. Pendant que nous étions dans sa chambre, la cuisinière lui a apporté son remède. M. Alméri a fait la grimace, disant qu'il trouvait mauvais goût à son médicament, depuis quelque temps.

— C'est vrai, je m'en souviens ; Saga a conclu qu'il s'en fatiguait.

— Possible, mais je veux en avoir le cœur net.

— Puisque, d'après Mady, c'est Saga qui est menacée ? »

Seuls, dans la tour, nous discutâmes un long moment, à voix basse, Gnafron continuant de se demander où je voulais en venir, et si cette affaire ne m'avait pas perturbé le cerveau.

Enfin, vers six heures, Totor frappa à nouveau deux fois trois petits coups.

« Voilà ! fit-il, essoufflé... mais je viens d'avoir "chaud". J'ai l'impression que quelqu'un se promenait dans le parc, de ce côté. J'ai fait un grand détour pour ne pas être vu... et puis, il m'est aussi arrivé un petit ennui. Voyez ce flacon que j'ai déniché ; son goulot est si étroit que j'ai répandu du liquide à terre, en l'emplissant. Alors, j'ai dû en prendre, dans l'autre, plus que je ne voulais... J'espère que la cuisinière ne s'en apercevra pas... Qu'allez-vous en faire à présent ?

— Ne t'inquiète pas. Méfie-toi plutôt, en repartant, que personne ne te voie sortir de la tour. »

Il retrouva son rire.

« Comptez sur moi, je vais me faufiler comme un serpent dans les broussailles et le jardinier me prendra pour une couleuvre. »

Il disparut comme il était venu. En possession de mon flacon, j'étais impatient de partir sans attendre l'arrivée de nos camarades. Gnafron me retint. Bon réflexe, car peu de temps après le départ de Totor, des pas firent craquer le tapis de feuilles mortes à proximité de la tour, des pas qui ne ressemblaient pas à ceux de Saga. Était-ce le jardinier qui avait aperçu Totor et se demandait la raison de sa venue dans la tour ? Puis, ces mêmes pas s'approchèrent de notre cachette. Une main tourna la clenche de la porte pour essayer d'ouvrir. Heureusement, après le départ de Totor, nous l'avions refermée à clef.

Blottis au fond de la tour, nous attendîmes, la respiration suspendue. Un instant plus tard, j'eus l'impression que l'inconnu s'agrippait aux aspérités de la muraille pour arriver à la hauteur de la meurtrière qui tenait lieu de fenêtre. Oui, car pendant quelques secondes la clarté de l'extérieur se trouva obscurcie. Par chance, accroupis au pied même du mur, nous ne pouvions être découverts. Puis, la lumière reparut, l'inconnu se laissa glisser à terre et les pas s'éloignèrent. Était-ce le jardinier ?... M. Reinbach ?... quelqu'un d'autre ?

Nous attendions, craignant à chaque instant d'entendre à nouveau les pas s'approcher de la tour. Plus rien. L'arrivée de la nuit nous rassura. Vers dix heures et demie du soir, nos camarades se présentèrent pour la relève. Ils n'avaient rien vu, rien entendu d'anormal dans le parc. Après des conseils de méfiance, je me glissai dehors, avec Gnafron, pour courir retrouver nos vélos qui nous attendaient, à l'extérieur du parc, contre le mur de clôture.

Chapitre 12

Corget et la Guille

Je dormis mal cette nuit-là. Je m'éveillai plusieurs fois et tâtai, dans ma poche, le petit flacon. Tantôt, je me trouvais stupide de croire qu'il contenait autre chose que le médicament habituel de M. Alméri, tantôt je m'imaginais qu'un dangereux maniaque avait décidé de supprimer, non seulement Saga et son père, mais tous les habitants du château... et si je parvenais à retrouver le sommeil, je voyais, dans un affreux cauchemar, l'irascible jardinier se ruer sur moi pour m'assommer.

Quand je m'éveillai tout à fait, le lendemain matin, j'eus le net sentiment que les événements allaient se précipiter. J'éprouvai cela exactement comme mon brave Kafi devinait l'approche d'un orage.

Il était sept heures et demie. Le Tondu et Bistèque venaient de rentrer de la tour, relevés par Corget et la Guille. Au cours de leur longue veille, ils n'avaient rien remarqué, rien entendu dans le parc. Je ne m'en sentis pas, pour autant, plus rassuré. Je ne le serais pas avant de connaître le contenu exact du petit flacon... mais justement, comment savoir ? Qui se chargerait de faire l'analyse du liquide sans nous demander d'explications ?

Gnafron qui, après ses premières moqueries, commençait à prendre la chose au sérieux, proposa :

« Allons voir Mady. Elle connaît plus de monde que nous dans Meillerie. Elle nous donnera peut-être une idée. »

Il m'accompagna sous ses fenêtres. Les volets étaient fermés, elle dormait encore. L'attente, cependant, ne fut pas longue. En poussant les contrevents, elle nous aperçut. Comprenant que nous voulions lui parler, elle fit signe de l'attendre.

Dix minutes plus tard, elle nous rejoignait sur le quai. Je lui montrai alors le petit flacon, en racontant la scène observée à travers les vitres de la cuisine du château. Sur le coup, sa réaction fut celle de Gnafron. Je m'étais monté la tête. Qui pouvait en vouloir à M. Alméri que tout le monde aimait à *Bella Vista* ? Elle admit cependant que j'avais raison de supposer le pire et qu'il ne fallait rien négliger.

« J'y pense, fit-elle, rien de plus facile pour connaître le contenu de ce flacon. Hier, le père Tap-Tap m'a emmenée dans sa barque et il m'a justement parlé de sa famille, de sa fille aînée, mariée à Thonon ; son mari travaille dans un laboratoire d'analyses médicales. Voulez-vous que j'aille lui demander l'adresse ? Avec la houle qui agite le lac ce matin, le père Tap-Tap n'est sûrement pas sorti avec sa barque. »

Elle partit aussitôt et revint un moment plus tard avec un petit mot de recommandation du pêcheur, un mot bourré de fautes d'orthographe, mais si chaleureux que nous n'avions plus qu'à filer à Thonon.

« Il ne t'a pas demandé de détails ? s'inquiéta Gnafron.

— Non, j'en ai été quitte pour subir l'éloge de son gendre qui, d'après lui, serait pharmacien s'il avait eu les moyens de poursuivre ses études. »

Le temps demeurait gris. Un vent assez fort soufflait du lac. Il ne pleuvait pas, cependant, quand je partis avec Gnafron qui, à présent, brûlait de savoir lui aussi. Nous avions dix-huit bons kilomètres à parcourir. Il était près de midi quand nos vélos nous déposèrent à Thonon-les-Bains, jolie ville bâtie sur une terrasse dominant le lac.

Je ne cherchai pas longtemps le laboratoire. Il se situait dans une petite rue débouchant sur la place des Arts, le centre même de la ville. Je demandai à voir M. Duroz (le nom indiqué par le pêcheur). Une femme en blouse blanche, une infirmière peut-être, répondit qu'il était occupé et s'inquiéta de ce que nous désirions.

« C'est personnel », dit gravement le petit Gnafron en se redressant.

Pareille assurance fit sourire la femme qui nous pria d'attendre dans le vestibule, et désigna deux chaises. De longues minutes s'écoulèrent. Des gens entraient, sortaient, certains en blouse blanche de médecin ou de pharmacien.

« Curieux ! me glissa Gnafron à l'oreille. À présent, moi aussi, j'ai la trouille. Je suis sûr qu'on va trouver quelque chose d'anormal dans le flacon. »

Enfin, un homme parut, en veston, prêt à sortir, car midi venait de sonner aux églises de la ville.

« Monsieur Duroz ! appela la femme en blouse. Ces garçons vous attendaient. Ils veulent vous parler. »

Elle ajouta, avec un sourire mi-figue, mi-raisin :

« Il paraît que c'est personnel. »

L'homme nous détailla l'un après l'autre avec l'air de se demander où il pouvait nous avoir déjà vus.

« Que voulez-vous ?

— C'est, dit Gnafron, de la part de... de... »

Il rougit. Pas plus que moi, il ne connaissait le vrai nom du vieux pêcheur.

« De la part de... du père Tap-Tap, lâcha-t-il finalement. Nous le connaissons bien. Il nous envoie, il nous a même donné une lettre. »

Le laborantin sourit, prit le mot, qu'il parcourut rapidement, puis posa son regard sur le petit flacon que je tenais.

« De quoi s'agit-il au juste ? D'une analyse ? »

Instinctivement, je tournai les yeux vers l'infirmière ; le gendre du père Tap-Tap comprit que nous préférions ne pas parler devant elle. Il nous poussa dans une petite salle encombrée de toutes sortes d'appareils et referma la porte derrière lui.

« Alors ? »

J'expliquai, avec embarras, que nous voulions savoir le contenu exact du flacon que nous lui apportions, en ajoutant que nous nous adressions à lui pour être sûrs qu'il garderait le secret.

« Le secret ? fit-il surpris. Est-ce si sérieux ? »

Il prit le flacon, le déboucha, l'approcha de ses narines, et hocha la tête.

« Mais il s'agit tout simplement d'un médicament.

— Oui, c'est le remède que prend une personne qui souffre d'un... d'un infra, d'un infar...

— D'un infarctus, voulez-vous dire ?

— C'est cela... mais il y a peut-être autre chose dedans. »

Le gendre du père Tap-Tap posa sur nous un regard interrogateur. Je repris vivement :

« Nous ne pouvons pas vous expliquer, nous voudrions que personne ne sache. Pouvez-vous faire cette analyse ? »

Le laborantin consulta sa montre, à son poignet.

« De toute façon, il est plus de midi. Le laboratoire reste fermé jusqu'à deux heures, mais je vous promets de m'occuper de vous dès la réouverture... Seulement, je vous préviens, ce sera assez long. Ne revenez pas attendre le résultat avant quatre heures. »

Quatre longues heures à attendre ! Pour nous, un siècle ! Heureusement, nous avions emporté des sandwiches dans les sacoches de nos vélos. Pour être tranquilles, nous descendîmes sur le port où un banc libre nous invitait devant le lac. Nous n'avions faim ni l'un ni l'autre. À chaque bouchée, mon estomac se serrait. Gnafron, de son côté, mâchonnait sans conviction.

« Si le gendre du père Tap-Tap trouve quelque chose d'anormal, que ferons-nous ? » demanda-t-il.

Que répondre ? Je ne voulais pas me poser la question. Enfin, nos sandwiches avalés, nous quittâmes le banc en jetant les miettes aux mouettes qui les attrapaient au vol. Puis, ne sachant comment tuer le temps, nous remontâmes vers la ville.

Dès trois heures et demie, nous étions de nouveau dans le vestibule du laboratoire. Hélas ! il fallut s'armer de patience. Cinq heures allaient sonner quand, enfin, le gendre du père Tap-Tap reparut. À sa mine, je compris aussitôt qu'il avait découvert quelque chose.

« Venez », dit-il en nous faisant signe de repasser dans la petite salle.

Sitôt la porte refermée, il demanda :

« D'où vient le flacon que vous m'avez apporté ?

— Nous vous l'avons dit, fit Gnafron, nous préférons ne pas en parler. »

Le laborantin fronça les sourcils. Je fis vivement :

« Vous avez trouvé quelque chose, n'est-ce pas ? »

Il approuva, de la tête.

« Oui. Il s'agit bien d'un médicament de formule courante, mais j'y ai relevé des traces de poison... des traces d'arsenic. Vous entendez, il y a de l'arsenic dans le liquide que vous m'avez remis. C'est grave, très grave. Connaissez-vous la personne qui absorbe habituellement ce médicament ?

— Est-elle en danger ?

— Pas en danger immédiat, la dose étant relativement faible, mais répétée tous les jours, c'est grave, très grave. »

Sa façon de répéter « très grave » nous impressionna.

« J'ignore... et vous aussi peut-être, ajouta-t-il, qui a versé ce poison... Si j'ai un conseil à vous donner, c'est d'avertir la police. D'ailleurs, c'est pour moi aussi un cas de conscience. Si vous ne la prévenez pas, je me verrai dans l'obligation de le faire. »

Je m'affolai. À côté de moi, Gnafron devint tout pâle.

« Ne pourrions-nous attendre ? dit-il vivement... le temps de rentrer à Meillerie, de voir nos camarades. Nous vous le promettons, demain la police sera au courant.

— Vous l'assurez ?... Je peux compter sur votre parole ?

— Demain, sans faute, nous le jurons ! »

Il nous reconduisit à la porte et, en nous serrant la main, répéta encore :

« Pas plus tard que demain, n'est-ce pas ? »

Je me retrouvai dans la rue, à côté de Gnafron, complètement hébété. Un coup de marteau sur la tête ne nous aurait pas mieux assommés. De l'arsenic !... Ainsi, lui aussi, le père de Saga se trouvait menacé et, cette fois, aucune confusion possible avec un accident. Depuis longtemps, sans doute, une main inconnue versait régulièrement le poison dans son médicament... ce qui expliquait le dégoût du pauvre homme pour ce breuvage, son affaiblissement progressif depuis son installation en Savoie... en somme, depuis le jour où le jardinier avait été embauché à *Bella Vista.*

« Tu as raison, Tidou, soupira Gnafron. À part le jardinier, on ne voit pas qui... Ah ! si tu avais pu reconnaître le bras qui se tendait pour saisir la fiole en cachette !... Mais pourquoi empoisonner le père de Saga ? »

À quoi bon rechercher le fameux « mobile » ? L'affaire s'embrouillait trop. Nous devions, au plus vite, rentrer à Meillerie mettre les autres Compagnons au courant afin de décider de la conduite à tenir. Remontant le premier sur sa machine, Gnafron fonça devant moi sur la grand-route.

Ma montre marquait sept heures quand les premières maisons de Meillerie apparurent. Le Tondu et Bistèque nous attendaient devant le « bidon », se demandant ce que nous avions fait à Thonon toute la journée. En apprenant que le flacon contenait du poison, ils restèrent figés. Mady, venue leur tenir compagnie, devint blême. Aussitôt, ils pensèrent tous trois, comme moi, au jardinier.

« Il faut immédiatement prévenir M. Reinbach, avant même d'en parler à Saga, conseilla Mady.

— Sans doute, approuva le Tondu, mais pas avant d'avoir mis au courant Corget et la Guille, de garde dans la tour. »

Bistèque acquiesça. Puisque M. Alméri ne reprendrait pas son médicament avant le lendemain matin, nous disposions de quelques heures pour chercher, tous ensemble, le moyen de démasquer rapidement le coupable.

« Alors, voici ce que je propose, reprit le Tondu. Attendons la tombée de la nuit, gagnons la tour un peu avant l'heure de la relève ; nous annoncerons la nouvelle à Corget et la Guille, et nous en discuterons.

— Et moi, je vous accompagne, ajouta Mady. Pour une fois, maman me laissera bien sortir le soir. »

Elle nous quitta pour rentrer chez elle, promettant de revenir dès neuf heures. En son absence, pendant les préparatifs du repas du soir, la discussion reprit. Impossible de ne pas braquer nos soupçons sur le jardinier que Bistèque, à tort ou à raison, qualifiait de fou furieux.

Notre souper terminé, nous lavions la vaisselle au bord du lac quand Mady reparut. Sa mère l'avait autorisée à nous accompagner à condition que nous ne rentrions pas trop tard. Le temps demeurait incertain, comme durant toute la journée. Cependant, le vent avait cessé. De longues écharpes de brume se traînaient déjà sur le lac, annonciatrices de brouillard. La nuit viendrait vite. Tant mieux ; nous pourrions partir plus tôt.

Dès dix heures, n'y tenant plus, je donnai le signal. Mady prit place dans la remorque tandis que Kafi (que j'avais renoncé à laisser dans la tour, en permanence, parce qu'il s'y ennuyait) nous suivait « à patte ». Une demi-heure plus tard, nous atteignions *Bella Vista.* L'étroit sentier longeant le mur du parc faisait l'effet d'un long et sombre tunnel. Avant de pénétrer dans la propriété, la bande s'immobilisa pour écouter. Rien de suspect. Alors, je me glissai le premier, avec Kafi, dans le parc désert. Encore deux ou trois arrêts pour tendre l'oreille et nous fûmes près de la tour, presque invisible, tant une profonde obscurité régnait sous les grands arbres.

Je m'approchai de la porte et frappai, comme d'habitude, deux fois trois petits coups. À notre grand étonnement, personne n'ouvrit. Corget et la Guille s'étaient-ils endormis ?

« Bien surprenant ! remarqua Bistèque. Juste au moment où ils allaient être relevés. »

Je frappai à nouveau. Toujours rien. Cependant Kafi, tenu par le collier, donnait des signes d'impatience, flairant obstinément le bas de la porte. Je frappai en vain une troisième fois. Se baissant, à la hauteur du trou de la serrure, Gnafron murmura :

« Corget ?... la Guille ?... êtes-vous là ?... Ouvrez ! »

Pas de réponse. Bistèque essaya d'ouvrir la porte. Elle était fermée à clef.

« Puisque leurs vélos les attendent, de l'autre côté du mur, remarqua le Tondu, ils sont encore là. Il leur est arrivé quelque chose. Aidez-moi à forcer la porte... mais sans bruit. »

Sans plus attendre, il donna un coup d'épaule qui fit sauter la serrure dont les vis tenaient mal dans le bois vermoulu. Surpris par une si faible résistance, il fut presque projeté en avant et, à peine dans la tour, buta sur quelque chose de mou.

« Vite, Gnafron, ta lampe ! »

Une lueur jaillit. Mady laissa échapper un cri. Corget et la Guille gisaient sur le sol, bras et jambes liés, un bâillon sur la bouche...

Chapitre 13

Celui qu'on ne soupçonnait pas

Devant ce spectacle, la bande resta paralysée. Enfin, le premier, Gnafron retrouva son sang-froid. Il se pencha vers Mady.

« Referme vite la porte ! Que personne au château ne nous aperçoive ! »

Il promena, sur les deux corps allongés, le faisceau lumineux de sa lampe tamisé par son mouchoir. Une énorme bosse déformait le front de Corget, bosse sans doute faite en tombant sur l'angle d'une marche. La Guille portait une petite écorchure au menton ; celle-ci saignait encore, preuve que l'attaque remontait à peu de temps.

Libérés de leurs liens et de leurs bâillons, nos camarades furent soulevés par le Tondu (le plus fort des Six compagnons) qui les adossa au mur. Ils ne se rendirent compte de rien. Avec Mady et Bistèque, je frottai énergiquement leurs membres et leurs visages, tandis que Gnafron nous éclairait.

« Je ne comprends pas, répétait le Tondu, la porte était fermée à double tour. Or, il n'existe qu'une seule clef... qui devait se trouver entre les mains de nos camarades. Pour une fois, l'auraient-ils oubliée dans la serrure, à l'extérieur ? »

Je manifestai mon doute.

« Pensez-vous ! La Guille et Corget ne sont pas idiots. Ils n'auraient pas commis pareille imprudence.

— Alors, fit Gnafron, ils ont été surpris par quelqu'un à qui ils ont ouvert sans méfiance, quelqu'un qui a frappé deux fois trois petits coups, comme convenu, qui s'est jeté sur eux, a pris leur clef et les a enfermés. Or, seuls Saga et Totor sont au courant de notre façon de frapper à la porte.

— Donc... », conclut Bistèque.

Mais, au même moment, Corget poussa un long soupir. Ses doigts remuèrent. Il ouvrit les yeux, porta la main à son front pour caresser sa bosse énorme. Quelques instants plus tard, la Guille s'étira à son tour, comme après un long sommeil. Tous deux se redressèrent, hébétés.

« Que vous est-il arrivé ? demanda Gnafron. Par qui avez-vous été surpris ? »

Ni l'un ni l'autre ne répondit. On aurait dit qu'ils avaient perdu la mémoire.

« Qui vous a attaqués ? reprit Bistèque en articulant les mots.

— Je ne sais pas, fit enfin Corget en continuant de frotter sa bosse. Ça s'est passé dans l'obscurité, très vite.

— Comment ?

— Nous étions seuls dans la tour, la Guille et moi. Nous venions d'avoir la visite de Totor. Il nous avait quittés depuis quelques minutes à peine quand, de nouveau, deux fois trois petits coups ont retenti à la porte. Nous avons cru que Saga venait nous rejoindre à son tour. La Guille a ouvert. Aussitôt, quelqu'un s'est jeté sur lui, puis sur moi. Nous n'avons pas eu le temps de réagir.

— Pas le temps de se défendre, confirma la Guille. Un terrible coup de poing m'a envoyé contre le mur et je suis tombé... Après, je ne sais plus.

— Vous n'avez pas reconnu votre agresseur... à la voix, par exemple ? insista Gnafron.

— La nuit était trop noire... et il n'a pas soufflé mot.

— Alors, s'inquiéta le Tondu, comment expliquez-vous qu'il ait été au courant de notre façon de frapper à la porte ?

— Justement, c'est ce que je ne comprends pas », fit la Guille en essuyant son menton.

Cependant, Corget réfléchit.

« Si, je crois savoir à présent. Avant l'arrivée de Totor, nous avions entendu de petits bruits près de la tour. Nous avions pensé à quelque bête des bois. Ces animaux-là sortent toujours à la tombée de la nuit. Nous en avions déjà entendu. Nous nous sommes trompés ; ce devait être lui, l'homme, qui faisait le guet. Il a aperçu et entendu Totor frapper à la porte et il a remarqué notre signal. Après nous avoir assommés, il a pris la clef, à l'intérieur, dans la serrure et il nous a enfermés.

— Vous n'avez aucun soupçon ?

— Saga est venue nous rendre visite, cet après-midi. Elle a eu peur, à cause du jardinier qui rôdait dans le parc, pas très loin de la tour. Elle a même été obligée de faire un grand détour avant de pouvoir nous rejoindre, mais, je le répète, si c'est le jardinier, nous ne l'avons pas reconnu. »

La Guille ajouta :

« L'homme devait s'être embusqué dans le parc. Il a sûrement entendu ce que nous disions avec Totor. Vous connaissez Totor ; sa voix aiguë s'entend bien... et il n'arrive jamais à parler bas.

— Justement, de quoi discutiez-vous tous les trois ?

— Totor voulait savoir ce que nous avions fait du petit flacon de médicament que tu lui avais demandé, Tidou. Il avait fini par supposer que cette fiole contenait du poison.

— Et vous lui avez parlé de notre intention de faire analyser son contenu ?

— Nous lui avons dit que Tidou s'en occupait, aujourd'hui même, parce qu'il avait hâte d'être fixé.

— Alors, je comprends. L'homme a surpris cette conversation. C'est lui le coupable. Affolé, se voyant sur le point d'être démasqué, il vous a mis K.O. pour se donner un peu de répit avant de prendre une décision. »

Un silence angoissé emplit la tour, coupé par les soupirs de Corget et de la Guille qui se remettaient lentement. Que faire ? Si le coupable était le jardinier, celui-ci avait certainement pris la fuite. Se cachait-il chez lui, à Lugrin, à deux kilomètres de *Bella Vista* ?

« Il faut aller là-bas, tout de suite, déclara Bistèque.

— Le trouverons-nous ? rétorqua le Tondu. Nous ne savons pas au juste où il habite... et que dirions-nous si nous mettions la main dessus ?

116

Corget et la Guille ne l'ont pas reconnu. Il aura inventé un alibi. »

Mais, comme nous cherchions une solution, Gnafron se frappa le crâne d'un coup de poing.

« J'y pense !... et Totor ?

— C'est vrai ! s'exclama Bistèque. Totor était avec Corget et la Guille. L'homme a probablement essayé de l'immobiliser, lui aussi. Comment le savoir ?

— Tant pis, nous verrons bien ! décida le Tondu. Allons sonner au château ! »

Il était onze heures du soir. Sous le ciel complètement brouillé, les silhouettes des grands arbres du parc se distinguaient à peine. Nous suivîmes sans bruit la longue allée conduisant à *Bella Vista*. Inquiète, Mady s'était rapprochée de Kafi, qu'elle tenait par le collier comme pour mieux se protéger.

Devant la façade du château noyée d'ombre, Gnafron alluma sa torche pour découvrir le bouton d'appel, près de la porte. Le tintement d'une sonnerie résonna à l'intérieur. Respiration suspendue, la bande attendit. Pas de réponse à l'appel. Alors Gnafron appuya avec insistance sur le bouton.

Enfin, une fenêtre grinça légèrement, juste au-dessus de nous. Quelqu'un se penchait pour s'assurer de l'identité de ces visiteurs nocturnes.

« Qui est là ? demanda une voix angoissée, la voix de Saga.

— Ne crains rien ! répondit Mady... Veux-tu nous ouvrir ? »

La fenêtre se referma. Quelques instants plus tard, le hall de *Bella Vista* s'illumina. À travers la porte vitrée de l'entrée, se découpa la silhouette de

Saga, en robe de chambre, descendant rapidement l'escalier blanc pour nous ouvrir.

« Mon Dieu ! s'écria-t-elle, tous là ?... Que se passe-t-il ? J'ai cru mourir de peur en entendant sonner à cette heure. »

Puis, apercevant l'écorchure, au menton de la Guille :

« Oh ! tu es blessé ?

— Il vient d'être attaqué dans la tour, en même temps que Corget, dit vivement Gnafron. Nous les avons retrouvés ligotés, bâillonnés et enfermés à clef. »

La jeune fille pâlit.

« Attaqués ?... par qui ?

— Impossible de le savoir. Cela s'est passé très vite, dans l'obscurité. Où est Totor ?

— Victor ? reprit-elle, étonnée par cette question. Mais probablement dans sa chambre, là-haut.

— Conduis-nous.

— À pareille heure ?

— Il faut qu'on le voie tout de suite !

— Alors, suivez-moi, sans bruit. »

Elle nous précéda sur les marches du grand escalier qui conduisait au premier puis, de là, le long d'un autre escalier, plus étroit, vers les chambres mansardées aménagées sous le toit.

« Ici, dit Saga en montrant une porte. Regardez ! il ne dort pas ; de la lumière filtre au ras du plancher. »

En effet, une petite bande claire se dessinait sous la porte. La jeune fille frappa, tremblante, et s'annonça :

« Levez-vous, Victor ! C'est Saga, Mady et les Compagnons ! »

118

Une sorte de vague plainte nous répondit, semblant venir de très loin. Mon chien flaira le bas de la porte et gratta, avec sa patte.

« J'en étais sûr, fit Gnafron, il lui est arrivé la même chose qu'à Corget et la Guille. »

Il tourna le bouton de la porte qui s'ouvrit sans résistance. Saga recula, étouffant un cri, devant Victor assis sur une chaise, les jambes attachées aux barreaux et les bras au dossier. Un mouchoir, solidement noué sur sa nuque, tendait les deux coins de sa bouche, fendue jusqu'aux oreilles. En toute autre circonstance, le spectacle eût été comique, mais personne n'avait envie de rire.

Délivré de ses liens et de son bâillon, il se leva, titubant sur ses jambes ankylosées.

« Qui t'a aussi ficelé de cette façon ? interrogea Corget qui avait retrouvé ses esprits Toi, au moins, tu l'as vu, puisque ta chambre est restée éclairée. »

Le pauvre Totor hocha la tête, complètement sonné. Puis, malgré lui (c'était vraiment dans sa nature), il retrouva son sourire.

« Je me demande ce qui l'a pris pour se jeter sur moi. Si je m'attendais à lui !...

— À qui ?

— Il n'a même pas frappé à la porte. Je l'ai vu entrer en coup de vent, comme un fou, sans dire un mot. Il s'est précipité sur moi au moment où j'allais me déshabiller. J'ai reçu un terrible coup de poing, là, au creux de l'estomac, et je suis tombé sans crier "ouf".

— Voyons, Totor, de qui s'agit-il ? »

Il nous regarda, les yeux ronds, hésita un instant, comme s'il n'était pas revenu de sa surprise, et lâcha soudain :

« M. Reinbach. »

Le nom tomba, tranchant comme un couperet. Abasourdis, nous nous regardâmes sans échanger un mot.

Chapitre 14

Le flair de Kafi

M. Reinbach !... Plusieurs secondes nous furent nécessaires pour réaliser dans notre esprit ce que nous venions d'entendre. Quant à Saga, elle ne put l'admettre.

« Non ! s'écria-t-elle, M. Reinbach n'a pas fait une chose pareille, vous vous trompez, Victor !

— Moi aussi, j'ai peine à le croire, reprit Totor. Pourtant, regardez... une preuve. »

Il montra quelque chose de brillant sur le plancher, presque sous son lit. Saga ramassa l'objet, une montre-bracelet en or.

« Elle s'est détachée de son poignet au moment où il me frappait, expliqua Totor. Il ne l'a pas entendue tomber... ou il était trop pressé de filer pour prendre le temps de la ramasser. »

Saga examina l'objet.

« Oui, reconnut-elle, c'est bien la montre de M. Reinbach... mais quelqu'un a pu la lui voler.

— Oh ! protesta le Tondu, ce serait trop invraisemblable. Une montre ne se vole pas comme un bijou, surtout une montre d'homme qui ne quitte pas le poignet. Il faut immédiatement prévenir la police. »

Saga lui saisit le bras.

« La police ? Vous n'y pensez pas ? Je n'aime guère M. Reinbach, mais appeler la police pour un simple geste un peu vif, sans conséquence ! M. Reinbach a une peur terrible des cambrioleurs. Il vous a surpris dans la tour, en pleine nuit. Il a conclu que vous attendiez le moment où le château serait presque désert pour vous y introduire... et il a cru Victor votre complice.

— Non, Saga, répondit vivement Mady, cette affaire est beaucoup plus tragique. Nous ne t'avons pas tout dit. Tu es en danger, Saga... et ton père aussi, surtout ton père. »

Elle pâlit.

« Papa ?

— Nous avons des preuves accablantes, ajouta Corget. Nous t'expliquerons plus tard. Il faut faire vite. As-tu vu, ce soir, M. Reinbach ?

— Il doit être parti passer la soirée avec sa femme au casino d'Évian. M. Reinbach est un habitué du casino ; il joue même souvent gros jeu...

— Alors ! le téléphone... où est le téléphone ?

— Oh ! vous n'allez pas....

— Le téléphone ? » répéta Corget avec insistance.

Saga s'inclina.

« En bas, à l'entrée du salon. »

Toute la bande redescendit sans bruit l'escalier, suivie de Totor qui, encore ankylosé, manqua la dernière marche et roula sur un tapis.

Corget saisit l'appareil. Le Tondu arrêta son geste :

« Qui vas-tu appeler ?

— La police d'Évian.

— Inutile. J'ai réfléchi ; tu penses bien qu'on ne les trouvera pas au casino. »

Puis, se tournant vers Saga :

« Les as-tu entendus partir ?

— Non. Rien d'étonnant à cela. Leur grosse voiture fait si peu de bruit !

— Alors, à tout hasard, veux-tu t'assurer s'ils sont là-haut ?

— Oh ! protesta Saga, frapper chez eux, à cette heure ?

— Ne t'inquiète pas, nous t'accompagnons. »

Au moment où nous arrivions sur le palier, une voix, celle de M. Alméri, appela, à travers la porte de sa chambre.

« Eh bien, que se passe-t-il, ma petite Saga ? Que signifient ces allées et venues ? »

D'un geste, la jeune fille nous invita au silence, puis entrebâilla la porte et, afin de ne pas effrayer son père, ne crut pas mal faire en disant un petit mensonge :

« Ce n'est rien, papa ! Victor vient d'avoir un léger malaise ; je m'occupe de lui. »

M. Alméri se contenta de l'explication et Saga revint vers nous. Elle désigna alors deux portes presque côte à côte. Au moment de frapper à la première, celle de M. Reinbach, elle hésita encore. Deux petits coups discrets retentirent. Aucune réponse. Elle frappa à nouveau, plus fort, puis s'enhardit à tourner le bouton. La porte était fermée à clef. Alors elle s'approcha de l'autre chambre, frappa et appela deux fois avant de se risquer à faire jouer la poignée.

Cette seconde porte n'était pas verrouillée. Dans la pièce, imprégnée d'un lourd parfum, régnait un désordre incroyable. Sur le lit, non défait, s'étalaient toutes sortes de vêtements. Les deux tiroirs aux poignées dorées d'une commode ancienne demeuraient à demi ouverts. Une grande valise gisait sur le tapis. Saga s'approcha d'une coiffeuse et se pencha sur un petit tiroir dont la serrure portait encore la clef. Ce tiroir était vide.

« Que contenait-il ? demanda Corget.

— Mme Reinbach y rangeait tous ses bijoux. Elle en possédait de nombreux, certains de grande valeur. Elle ne les aurait certainement pas tous mis pour une simple soirée au casino. »

Une porte de communication permettait de passer d'une chambre dans l'autre. Celle de M. Reinbach présentait le même désordre. Le tiroir d'un secrétaire bâillait, grand ouvert. Des papiers d'affaires, négligés, traînaient sur le parquet. Cette fois, plus de doute, l'homme et la femme avaient pris la fuite. Comment n'avions-nous pas compris plus tôt que Reinbach avait ligoté Corget, la Guille et Totor pour se donner le temps de préparer leurs affaires et de fuir ?

« Reste à savoir où ils sont ! fit Bistèque.

— Allons voir au garage s'ils ont pris une voiture », conseilla Totor en frottant son bras droit, meurtri dans sa chute.

Nous redescendîmes le large escalier, à pas feutrés, pour gagner le parc où se trouvaient les garages dans une aile du château. J'aidais le Tondu à soulever le rideau de fer. La grosse américaine et la 2 CV dormaient sagement, l'une près de l'autre.

« Elles n'ont pas bougé de là, constata Totor. Tâtez les capots ; ils sont froids comme des dos de crapauds.

— Alors, ils ont peut-être pris le yacht », suggéra Bistèque.

Totor hocha la tête.

« Ça m'étonnerait. M. Reinbach s'amuse parfois à tenir le gouvernail du *Caprice,* mais il ne s'occupe pas du moteur. Il ne s'entend pas à le régler... D'ailleurs le trajet, au cas où ils seraient tout de même allés à Évian, est trois fois plus long par bateau que par la route.

— Et s'ils se cachaient dans le parc ? » fit Mady.

Par acquit de conscience, je demandai à Saga de monter dans la chambre de Mme Reinbach me chercher un objet, un vêtement lui appartenant, que je ferais sentir à Kafi.

« Bonne idée, s'écria le Tondu. S'ils sont dans le parc, ton chien les aura découverts dans cinq minutes. »

Saga m'apporta une écharpe de soie rose, tout imprégnée du lourd parfum qu'utilisait Mme Reinbach. Aidé par une odeur aussi forte, mon chien, souvent entraîné à suivre des pistes, aurait tôt fait de retrouver celle que nous cherchions.

« Nous sommes assez nombreux, fit remarquer le Tondu à Mady, reste dans la maison avec Saga. »

Derrière Kafi, dont je venais d'attacher le collier à une corde pour qu'il ne nous entraîne pas trop vite, nous nous éloignâmes. Le parc, envahi par le brouillard, était encore plus sinistre que tout à l'heure. Excité, Kafi poussait de petits grognements, cherchait à droite, à gauche, mais ne paraissait cependant pas satisfait. Il me tirait sans cesse du côté du lac.

« Laisse-le faire, me conseilla Corget, on dirait qu'il veut nous conduire près du port. »

En effet, au lieu de continuer à suivre la grande allée, celle qui traverse le parc, vers la grille et les tonnelles, mon chien contourna la fameuse tour et, de là, piqua tout droit vers le Léman, invisible sous la brume.

« Je l'avais dit, triompha Bistèque, ils ont pris le yacht ; nous avons perdu du temps ; nous aurions dû directement descendre au port. »

Mais la silhouette blanche du *Caprice* apparut le long de la digue.

« Kafi a dû suivre une ancienne piste, en déduisit le Tondu. Remontons dans le parc. »

Cependant, je laissai mon chien nous guider jusqu'au bout. Il arriva devant le yacht, s'arrêta devant l'étroite passerelle qui reliait le bateau au môle et me réclama l'écharpe pour la flairer à nouveau.

« Vous voyez, se reprit à espérer Bistèque, Kafi insiste. Ils se sont peut-être cachés à bord, en attendant que le lac soit complètement désert pour quitter la rive.

— Nous allons le savoir tout de suite ! » s'écria Totor en s'élançant sur l'étroite passerelle.

Le marin du *Caprice* saisit la lampe de Gnafron et, toute agilité retrouvée, entreprit l'exploration du bateau. À sa suite, nous visitâmes le salon, la petite cabine, le pont, la machinerie, la cale. Le yacht était vide.

« Tu vois, constata encore Corget, ton chien a suivi une ancienne piste. Nous perdons notre temps. »

Cependant, Totor se frappa tout à coup le crâne avec le poing.

« Une idée !... Attendez-moi ! »

Il redescendit, comme un singe, le long de l'échelle de fer qui tombait dans la machinerie. Quelques instants plus tard, il reparut, triomphant.

« Votre chien ne s'est pas trompé. Ils sont venus ici tout à l'heure. Ils ont essayé de mettre le moteur en marche et n'ont pas réussi car le moteur part mal à froid. La manette de réglage n'est plus dans la position où je l'avais laissée ce matin.

— Donc, fit la Guille, ils ont cherché un autre moyen. Pourquoi n'ont-ils pas pris la voiture ! C'était si simple !

— Pas si simple que ça, expliqua Totor. Pour moi, ils veulent passer en Suisse. En pleine nuit, il n'est pas facile de traverser la frontière sans être remarqué. Je connais les douaniers ; la nuit, ils s'ennuient. Pour se distraire, ils visitent toutes les voitures... et comme les Reinbach emportaient tous leurs bijoux et sans doute beaucoup d'argent, ils ne tenaient pas à se faire contrôler... tandis que par le lac, surtout par temps de brouillard... »

Qu'en conclure ?... Que le couple se cachait aux alentours du château ? Dans ce cas, mon chien devait pouvoir retrouver la vraie piste. Je ramenai donc sur la digue, l'invitant à reprendre la trace en sens inverse.

Et soudain, à l'endroit où la digue s'implante

sur les roches de la rive, il s'arrêta, flaira longuement le sol, à droite, à gauche, comme en présence de deux directions possibles. Puis le voilà reparti du côté opposé au sentier qui montait vers le château. Nous arrivâmes ainsi, très vite, à la limite du parc, exactement à l'endroit où nous enjambions le petit mur pour venir dans la tour. Mais il ne s'arrêta pas là. Tirant de toutes ses forces sur la corde, il m'obligea à pénétrer dans les broussailles, à enjamber un autre mur qui fermait une propriété apparemment abandonnée, en tout cas mal entretenue car nous nous déchirâmes les jambes aux ronces qui l'envahissaient.

Kafi allait toujours de l'avant. Cette propriété traversée, il pénétra dans une autre, certainement habitée, celle-là, car ses allées étaient gravillonnées. Enfin, descendant vers le lac, Kafi s'arrêta net au bord de l'eau et poussa de petits grognements de colère, manifestant sa déception de ne pouvoir aller plus loin. Je fis signe à Gnafron d'approcher la lampe. Près d'un débarcadère en bois sur pilotis, je découvris à mes pieds une chaîne, fixée par un bout dans la roche et libre de l'autre.

« Compris ! s'écria Gnafron. Faute de pouvoir mettre le yacht en marche, ils ont détaché le bateau qui se trouvait là, à cette chaîne... D'ailleurs, regardez : on voit les traces de talons pointus de femme dans la vase. »

Instinctivement, nos regards remontèrent vers le large, comme s'ils pouvaient percer le brouillard. Hélas ! Les fugitifs étaient loin, à présent ! Peut-être avaient-ils déjà atteint la rive suisse ? Tout dépendait de la rapidité de leur bateau. Au fait, quel genre de bateau avaient-ils « emprunté » ? Un canot à moteur ?... Une barque à rames ?

« Un petit canot automobile rouge, assura Totor. Il appartient aux Parisiens qui occupent cette propriété, je les ai souvent vus se promener à son bord. »

Les yeux toujours fixés vers le lac, comme Kafi, nous étions pour le moins déçus.

« Fini ! soupira Gnafron, ils nous ont échappé. »

Mais Totor réagit vivement.

« Pas sûr ! Dans le brouillard, ils sont capables de tourner en rond sur le lac sans trouver la bonne direction. »

Et nous entraînant d'un geste :

« Vite ! tous sur le yacht ! Lançons-nous à leur poursuite... »

Chapitre 15

Le bateau fantôme

Du premier coup, Totor avait réussi à lancer le moteur du *Caprice*. Il remonta prestement le long de l'échelle de fer et se glissa au poste de pilotage.

« Trois à l'avant ! cria-t-il. Un de chaque côté, le dernier à l'arrière... et que tout le monde ouvre l'œil ! Prévenez-moi dès que vous apercevrez ou entendrez quelque chose ! »

Le yacht s'écarta de la digue et sortit du petit port. Il était plus de minuit. Une brume toujours épaisse recouvrait la surface qu'aucune vague ne soulevait. La rive s'évanouit dès les premiers tours d'hélice et nous eûmes l'impression de foncer dans un autre monde. Je me portai à l'avant avec Gnafron, Corget... et Kafi bien entendu, sur qui je comptais pour donner l'alerte.

Hélas ! le yacht n'était pas équipé pour des recherches en pleine nuit par temps de brouillard. Outre ses feux réglementaires, il possédait bien un phare, mais celui-ci, non orientable, n'éclairait guère le lac qu'à une soixantaine de mètres devant lui, juste pour donner le temps de tourner la barre en cas de danger. Par contre, une boussole équipait le poste de pilotage, chose rare, d'après Totor, pour des bateaux naviguant sur le lac.

Notre pilote commença par piquer droit vers le large, moteur à plein régime, puis il se mit à décrire de grandes courbes invisibles dans la nuit. À la barre, Totor tempêtait :

« Il faut que nous les retrouvions, il le faut ! Ah ! les salauds ! Avoir voulu tuer Saga et son père !... Ils ne l'emporteront pas au paradis. »

Jamais nous ne l'avions vu dans cet état, lui qui ne pensait qu'à rire.

Pendant plus d'une heure, le regard tendu, les oreilles attentives, cramponnés à la rambarde, nous n'échangeâmes aucun mot. Près de moi, Kafi ne bronchait pas. Comprenait-il que nous cherchions à renouer le fil de la piste interrompue ? De temps à autre, il levait la tête vers moi d'un air de dire : « J'écoute pourtant de toutes mes oreilles, Tidou, je n'entends rien. »

Le temps passait, nos chances s'amenuisaient. Depuis longtemps les fugitifs devaient avoir atteint la rive suisse. Cependant, Totor s'entêtait. Il bougonnait, entre les dents :

« Je suis sûr qu'ils tournent en rond, sans savoir où ils sont, nous allons finir par entendre les pétarades de leur rafiot. »

Une heure passa encore, pleine d'attente anxieuse. Et au moment où Totor, fou de rage, allait renoncer à cette poursuite aveugle, Kafi frémit contre moi. Je fis signe au pilote de mettre le moteur au ralenti, pour nous permettre d'écouter. Rien. Cependant, Kafi demeurait sur le qui-vive, comme le soir où il avait aperçu Totor accroché à sa bouée. S'agissait-il encore d'un flotteur à filets ? Certainement pas, car sa tête restait fixe. Ses oreilles, seulement, bougeaient. Il n'avait donc pas vu, mais entendu quelque chose. Je criai à Totor :

« Relance le moteur et vire à gauche !... »

Le yacht tourna lentement. Accroupi près de mon chien, je surveillai ses moindres mouvements, éclairé par la lampe de Gnafron. Au bout d'une minute, j'invitai Totor à stopper pour écouter à nouveau. Kafi me regarda, pour me faire comprendre qu'il n'entendait plus rien. Cependant, brusquement, il se pencha en avant, se retenant de gronder.

« Kafi a raison ! Écoutez, lança Corget, on dirait un petit bruit au loin... mais pas celui d'un moteur. »

J'entendais, moi aussi, non le ronronnement régulier d'un moteur, mais un petit bruit intermittent, cadencé.

« Oui, précisa Gnafron, un battement de rames qui plongent dans l'eau.

— Donc, ce ne sont pas eux », soupira Corget.

Je demandai à Totor de remettre quand même le bateau en marche. Trop heureux de reprendre la poursuite, il s'exécuta, puis au bout d'un moment, il stoppa à nouveau. Cette fois, le battement des rames nous parvint sur tribord. Une nouvelle manœuvre était nécessaire pour nous approcher de ce bateau fantôme. Un coup de gouvernail, quelques tours d'hélice, et le *Caprice* se laissa aller doucement sur sa lancée. Plus aucun bruit à la ronde. Pourtant Kafi demeurait en éveil.

« Taisons-nous, murmura Gnafron. Le canot à

rames s'est arrêté pour nous échapper. Il a vu les feux du yacht. Ce sont peut-être des contrebandiers qui croient avoir reconnu une vedette de la police du lac... mais il faut en être sûrs. »

Totor tira sur sa manette ; le yacht reprit son élan dans un bouillonnement invisible. Tout à coup, promenant le faisceau de sa lampe sur les eaux noires, Gnafron poussa un cri :

« Je viens de l'apercevoir ! Vire à gauche, Totor !... Vite ! »

La forme entrevue disparut... puis se dessina à nouveau, au ras du lac, tandis que Kafi, déchaîné à présent, aboyait de toutes ses forces.

« Encore plus à gauche, Totor ! »

Au même moment un petit claquement sec nous fit sursauter. La vitre d'un hublot vola en éclats. Sur le coup, je ne compris pas, mais Totor cria :

« On nous tire dessus !... Tous dans la cabine ! »

Rampant sur le pont, je me glissai, avec les autres, dans le salon tandis que, stoïquement, en vrai capitaine de navire, le « commandant » Totor restait à son poste.

« Ce sont eux ! expliqua Gorget. Des contrebandiers ne s'amuseraient pas à ce petit jeu-là. Ça leur coûterait trop cher. »

Il n'avait pas achevé que deux coups de feu, puis trois autres, claquèrent encore. Ensuite, plus rien.

Alors, prudemment, avec Kafi, je remontai sur le pont, suivi de mes camarades. Le silence régnait à nouveau sur le lac, un silence total. Le bateau fantôme avait disparu... pas tout à fait, cependant, car la façon dont mon chien pointait ses oreilles dans une direction bien précise indiquait qu'il entendait toujours le bruit de rames.

« En avant, toute ! hurla Totor. Nous ne craignons plus rien. Ils se sont affolés et ont tiré les six balles de leur revolver. Je vous jure que ce sont eux. »

Hélas ! notre phare n'éclairait le lac que droit devant lui. De toute façon, avec un brouillard aussi intense... Quant à la lampe de Gnafron, la pile en était presque usée. Heureusement, Kafi ne se trompait pas. Merveilleux radar, ses oreilles avaient indiqué la bonne direction. Au moment où nous désespérions de le retrouver, le petit bateau se « fixa » dans le rond jaunâtre de la lampe, si près, cette fois, que je distinguai sa couleur rouge. Deux silhouettes se recroquevillaient à bord, pour se cacher : celles de Reinbach et de sa femme.

Faute de pouvoir se guider d'après les lumières de la rive, les deux fugitifs avaient usé la provision de carburant du petit canot automobile à errer à l'aveuglette sur le lac. En panne d'essence, ils avaient tenté de poursuivre leur évasion à l'aide des rames de secours. À coup sûr, Reinbach avait déchargé son revolver dans notre direction parce qu'il avait reconnu le *Caprice*. Il avait compris que son propre bateau le recherchait. Pour décourager ceux qui le montaient, il n'avait pas hésité à tirer.

Mais, sa tentative d'intimidation manquée, à bout de forces, se voyant encore une fois rejoint, Reinbach se sentait perdu. Cependant, il fit semblant de n'avoir pas reconnu le bateau et ses occupants. Se dressant dans le canot, il commença de nous injurier, demandant de quel droit nous avions coupé sa route, au risque d'éventrer son embarcation.

Totor était déchaîné. Au fond, il n'avait jamais aimé ce patron autoritaire et méfiant. À présent, il le détestait farouchement. Méprisant les injures, il manœuvra si bien que le yacht vint frôler le canot. Puis, armé d'une longue gaffe, il « accrocha » le petit bateau rouge.

« Allez, lança-t-il, montez à bord ! »

Les Reinbach protestèrent encore vigoureusement, refusant de bouger.

« Ah ! ils s'obstinent ! cria Totor. Nous allons voir ! »

Et, se tournant vers moi :

« Tidou, lâche ton chien ! »

Penché au bord du yacht, prêt à sauter à mon commandement, Kafi découvrit ses crocs impressionnants et gronda furieusement. Cette fois, la belle et parfumée Mme Reinbach n'insista pas... et son mari la suivit.

« Odieux ! Absolument odieux ! rugit Reinbach en montant sur le pont du yacht. Comment ? vous, Victor, en qui j'avais toute confiance, vous vous prêtez aux manigances de ces gamins ?... Je ne comprends pas, auriez-vous perdu la raison ?

— Ah ! par exemple, protesta Totor, c'est vous qui accusez après avoir assommé mes camarades et m'avoir ficelé dans ma chambre ? Vraiment, vous ne vous souvenez pas ? »

Mme Reinbach renchérit :

« Vous aurez affaire à la police... ainsi que ces jeunes vauriens.

— La police, rétorqua Totor, vous feriez mieux de ne pas en parler... elle vous attend peut-être au château. »

Et, reprenant son poste, au gouvernail :

« En avant, toute !... Direction : *Bella Vista* ! »

Chapitre 16

Le fameux mobile

Totor ne croyait pas si bien dire. Quand, enfin, le yacht retrouva l'entrée du petit port, un commissaire et plusieurs policiers en civil nous attendaient sur les marches de *Bella Vista*.

Il était quatre heures du matin. Pendant notre longue absence, Mady n'avait pas perdu de temps. Après notre départ, inquiète de ne pas nous voir revenir, elle avait tout raconté à Saga. Celle-ci, affolée, avait mis son père au courant et M. Alméri, affolé à son tour, lui avait demandé d'avertir immédiatement la police.

Ainsi, depuis plus d'une heure, le commissaire d'Évian attendait, déjà renseigné sur les événements qui s'étaient déroulés au château depuis trois semaines. Devant leur gravité, il avait jugé bon de régler l'affaire au plus vite. Il avait envoyé un de ses hommes à Lugrin, chercher le jardinier et sa femme. Par téléphone, son collègue de Thonon avait été prié de faire venir, sans délai, le gendre du père Tap-Tap. Le laborantin était donc là, lui aussi. Seul manquait M. Alméri, laissé au calme dans sa chambre en attendant qu'on ait besoin de lui.

C'est donc devant beaucoup de monde que les Reinbach, solidement encadrés par nous tous et étroitement surveillés par Kafi, firent leur entrée au château. Ils furent aussitôt invités à passer dans le grand salon où les lustres éclairèrent leurs visages blêmes à la fois de colère et de peur.

« Qu'on les fouille ! » ordonna le commissaire.

Reinbach n'avait même pas songé à se débarrasser de son revolver, qui ne contenait d'ailleurs plus une seule balle. Par contre, la petite valise de cuir bleu que la femme serrait contre elle renfermait de nombreux bijoux... sans parler des gros billets de banque.

Jeune, d'allure sportive, le commissaire savait qu'une bonne enquête est toujours menée rondement, afin que les accusés n'aient pas le temps de se reprendre ou d'inventer un alibi. Ayant laissé les Reinbach debout, devant la grande cheminée de marbre, il nous fit placer en demi-cercle derrière lui.

« Ce n'est pas possible, s'indigna Mme Reinbach, vous n'allez tout de même pas croire...

— Suffit ! coupa le commissaire. Vous parlerez quand je vous y autoriserai. »

Et, se tournant vers nous :

« J'aimerais qu'on reprenne les faits dès le début. Par votre camarade Mady, je suis au courant de beaucoup de choses. J'ai besoin d'en savoir davantage. Quand, pour la première fois, avez-vous eu l'impression que de mystérieux événements se passaient dans ce château ?

— Depuis l'accident de Totor... pardon, de Victor, monsieur le commissaire », fit vivement Gnafron.

Alors, l'un après l'autre, nous coupant à tout propos la parole, nous énumérons les faits.

« Oui, explique Gnafron, en repêchant Totor dans le lac, nous avons tout de suite pensé à autre chose qu'à un accident, et quelques heures après, quand M. Reinbach est venu à Meillerie, inquiet de savoir ce que son matelot avait raconté, nos doutes se sont aggravés.

— Ainsi, fit le commissaire, vous le soupçonniez déjà ?

— Non, nous n'avions pas pensé à lui.

— Comme pour l'accident d'auto, ajoute la Guille, nous avons tout de suite supposé qu'il ne s'agissait pas d'un banal accident de la route... mais ce n'est pas à lui que nous avons pensé.

— À qui ? »

La Guille rougit, embarrassé.

« Au... au jardinier ! »

Le mari de la cuisinière nous foudroie du regard.

« Comment, à moi ?

— Excusez-nous, fait la Guille, nous vous savions brouillé avec Totor à cause de bégonias écrasés. Nous avons supposé...

— Supposé quoi ?... que je pouvais me transformer en criminel pour trois malheureux bégonias ? »

Cela lui paraît si énorme que, pour la première fois, nous voyons un sourire éclairer son visage.

« Pour tout dire, continue Bistèque, c'est Mady

qui a découvert que Totor n'était pas visé, mais plutôt Saga.

— Comment cela ?

— Parce que c'est tout à fait par hasard que, le jour du troisième accident, Totor a utilisé la salle de bains de Saga. Les fils du radiateur avaient été passés derrière le tuyau de la douche par quelqu'un qui connaissait les habitudes de Saga.

— Et l'arsenic ?

— Un après-midi, Tidou a vu saisir le flacon, dans la cuisine, à une heure où M. Alméri ne prend pas, d'ordinaire, son médicament. Cela nous a mis la puce à l'oreille... Seulement, impossible de savoir qui l'avait emporté.

— Mais cette nuit, en délivrant Victor, quand avez-vous su qui vous avait assommés ?

— À ce moment-là, seulement, nous avons eu une certitude, fait Gnafron. Si M. Reinbach et sa femme n'étaient pas coupables, ils ne se seraient pas sauvés. »

Puis se tournant vers le jardinier :

« Excusez-nous encore, il nous a fallu arriver jusque-là pour comprendre que ce n'était pas vous. »

Le terrible jardinier sourit encore avec un petit haussement d'épaules qui signifie : « Aucune importance, à présent, puisque tout s'éclaire. »

Le commissaire nous remercie, nos déclarations concordent avec ce qu'il sait déjà. Il se tourne alors vers le gendre du père Tap-Tap :

« Vous affirmez que le médicament remis par ces garçons, aux fins d'analyse, contenait bien de l'arsenic ?

— Je l'affirme, monsieur le commissaire ; en

faible quantité, il est vrai, mais suffisante pour provoquer la mort à plus ou moins longue échéance.

— D'ailleurs, ajoute Mady, une nouvelle analyse sera possible. Dans leur précipitation, les coupables ont oublié de faire disparaître le flacon de médicament. Tenez ! Le voici. »

Elle sort de sa poche la petite bouteille et la remet au commissaire. Celui-ci s'adresse alors au jardinier, ce curieux personnage, si longtemps soupçonné surtout à cause de sa mine. Après tout, il n'est pas si terrible, coléreux sans doute, et de mauvaise humeur à cause de la santé de son fils. Nous attendons ses déclarations avec impatience. Vont-elles nous éclairer sur ce que nous n'avons pas toujours bien compris au cours de ces événements ?

« J'avoue, commence-t-il, ne m'être jamais douté de rien jusqu'à cette nuit, mais à présent... L'accident du yacht, par exemple.

— Expliquez-vous !

— Nous étions quatre dans le salon du *Caprice* en train de jouer aux cartes. Mlle Saga reposait dans la petite cabine, à côté. À un moment, mon patron est sorti sur le pont, sous prétexte de vérifier le fonctionnement des feux de position. Quelques minutes plus tard, M. Alméri constatait la disparition de Victor.

— Comment ?

— À cause du balancement anormal du bateau et du moteur qui ne tournait plus régulièrement.

— Personne n'a entendu les appels du naufragé ?

— Un poste à transistors jouait dans le salon... Je me souviens, à présent, il jouait plus fort que d'habitude et, si j'avais osé, j'aurais tourné le bouton.

— Qui l'avait réglé ?

— M. Reinbach.

— Pour qu'on n'entende rien du dehors, évidemment... mais comment l'accident a-t-il pu se produire ?

— Il arrivait à Mlle Saga de quitter la petite cabine pour prendre l'air sur le pont. Pour cela, il n'est pas nécessaire de traverser le salon. Une petite échelle conduit directement à l'extérieur.

— Ah ! je comprends ! s'exclame Gnafron, malgré lui. C'est pour cela qu'en nous faisant visiter le yacht, M. Reinbach n'a pas voulu nous montrer cette cabine, nous aurions pu découvrir comment il s'était trompé.

— C'est cela, approuve le jardinier. Il a dû entendre du bruit derrière la cloison, croire que la jeune fille se levait pour sortir. Mlle Saga et Victor étaient vêtus d'une façon semblable. Il a certainement pris l'un pour l'autre.

— Est-ce tout ce que vous avez à dire ? demande le commissaire.

— Pas tout à fait. Pour l'accident d'auto, je n'ai aucune certitude, cependant je me souviens d'avoir remarqué, quelques heures avant, deux taches d'huile sur le pantalon que portait mon patron. Il semblait alors revenir du garage. J'ai pensé sur le coup que, contrairement à ses habitudes, il avait effectué lui-même une petite réparation sur l'une des deux voitures. Cela m'a paru bizarre, mais comment me serais-je douté ? En réalité, il venait certainement de desserrer la direction de la 2 CV.

— Et pour le dernier accident, celui de la baignoire ?

— Là non plus, je ne peux rien affirmer mais, cette fois encore, une demi-heure auparavant, j'ai entendu quelqu'un dans la salle de bains. Je me trouvais moi-même occupé à cirer une chambre voisine. »

Il se tourne vers la jeune fille.

« Était-ce vous, mademoiselle Saga ?

— Certainement pas. J'y suis entrée quelques instants seulement, juste après le repas de midi, pour faire un peu de toilette.

— Alors, monsieur le commissaire, ce ne pouvait être que lui, ou Mme Reinbach, non, plutôt lui... et je m'explique pourquoi, au premier appel au secours, il s'est trouvé sur les lieux avant moi. Il devait être resté à proximité, anxieux de savoir comment les événements allaient se passer. Reconnaissant la voix de Victor, il s'est précipité, afin d'effacer au plus vite les indices qui pouvaient le trahir, mais arrivé juste derrière lui, j'ai eu le temps de remarquer que les fils du radiateur croisaient le tuyau souple de la douche.

— Et l'arsenic ? »

Le jardinier désigne sa femme.

« Interrogez-la, monsieur le commissaire, elle vous renseignera là-dessus mieux que moi.

— Oui, commence la cuisinière, à présent, moi aussi, je m'explique beaucoup de choses. Par deux fois, en rentrant dans la cuisine, j'ai aperçu Mme Reinbach remettant précipitamment en place la petite fiole.

— La première fois remonte à quand ?

— Au début de mon entrée en service à *Bella Vista*... et la seconde, la semaine dernière.

— C'est cela, murmure le commissaire, pour lui-même, lent empoisonnement. »

Et de nouveau à la cuisinière :

« Pourquoi le médicament était-il conservé dans la cuisine, plutôt que dans la chambre du malade ?

— Mme Reinbach en avait décidé ainsi, par prudence, disait-elle, pour que M. Alméri ne soit pas tenté de forcer les doses ou de les renouveler trop souvent... Mais je me souviens encore d'autre chose, monsieur le commissaire. Hier soir, Mme Reinbach a remarqué (comme moi d'ailleurs) que le niveau du liquide avait subitement et fortement baissé dans la fiole. Elle s'est même montrée très inquiète à ce sujet et m'a longuement questionnée. À présent, je comprends. Elle se demandait qui avait prélevé du liquide. Certainement, elle craignait que quelqu'un n'ait découvert son odieux manège.

— Que vous a-t-elle dit, exactement ?

— Oh ! elle a bien caché son jeu. Elle a expliqué son inquiétude en disant que M. Alméri était peut-être venu, en cachette, à la cuisine, se verser une forte dose de médicament qui pouvait lui être fatale. Ah ! j'étais loin de me douter qu'au contraire, elle empoisonnait M. Alméri ! »

Le commissaire la remercie, se tait un moment, réfléchit, puis, s'adressant aux accusés :

« Vous avez entendu ces témoignages ; pour votre malheur, ils concordent tous. Inutile de nier. Vous n'avez reculé devant aucun moyen pour essayer de supprimer un malade et sa fille. Vous

146

n'avez certainement perdu la raison ni l'un ni l'autre. Alors, quel était votre but ? »

La respiration suspendue, le cœur serré, nous attendons. Allons-nous enfin, en même temps que le commissaire, découvrir ce fameux « mobile » qui nous a manqué dans notre enquête ?

Hélas ! Reinbach et sa femme ne desserrent pas les dents. Un lourd silence plane dans le salon. L'instant est dramatique. Nous sentons que la vérité ne peut manquer d'éclater, mais comment ? Alors le commissaire se penche vers Saga, lui demandant d'aller chercher son père. Celui-ci apparaît, au bras de sa fille, le visage défait. Saga l'invite à s'asseoir dans le fauteuil que le commissaire vient d'avancer.

À la vue du malade, les accusés ne peuvent réprimer un mouvement de honte. Mme Reinbach cache son visage dans ses mains. L'instant est si poignant que je tremble de tous mes membres. Kafi lui-même se tient immobile, la tête tournée vers le fauteuil. Saga réconforte son père de sa voix douce.

« Parle, papa ! supplie-t-elle. Dis ce que tu sais. Pourquoi ont-ils pu nous en vouloir à ce point ? »

Alors, surmontant son émotion, les mains crispées sur le bras du fauteuil, le malade relève la tête, regarde fixement Reinbach et sa femme.

« Oui, dit-il, depuis que j'ai appris l'horrible chose, tout à l'heure, j'ai réfléchi... et je crois avoir compris. Vous aussi, monsieur le commissaire, vous allez comprendre. »

Il reprend sa respiration, comme pour se préparer à parler longuement et commence :

« Voici les faits : quand je suis rentré d'Afrique du Nord, il y a quelques années, en emportant les capitaux que j'avais pu sauver, j'ai rencontré Reinbach qui, précisément, cherchait des fonds pour exploiter une affaire en Lorraine. Il avait su m'inspirer confiance et nous avions signé un contrat d'association. Vous serez éclairé, monsieur le commissaire, quand je vous en indiquerai certaine clause. Ce contrat mentionnait qu'au cas où Reinbach et sa femme, qui n'avaient pas d'héritiers, viendraient à disparaître l'un et l'autre, je resterais l'unique propriétaire de l'entreprise... En contrepartie, si ma fille disparaissait avant moi, me laissant ainsi sans héritier, ma part reviendrait à Reinbach dès mon décès. Voilà simplement ce que j'avais à dire... je pense que c'est suffisant.

— Plus que suffisant, fait vivement le commissaire. Tout s'éclaire. Les raisons pour lesquelles ces misérables voulaient vous faire disparaître, vous et votre fille, n'ont plus de mystère. Pour hériter, ils devaient vous supprimer tous les deux. »

Puis, se plantant de nouveau devant les Reinbach :

« Voyons, mettons les choses au point ; je vais reprendre le raisonnement que vous vous êtes tenu. L'idée de cette épouvantable machination remonte à plusieurs mois. Elle vous est venue au moment où votre associé a été victime d'une crise cardiaque. Vous avez tout de suite pensé qu'il ne survivrait pas longtemps à cette attaque, mais que vous seriez frustrés de sa part, dans l'entreprise, parce que, selon le contrat, sa fille en hériterait. C'est bien cela, n'est-ce pas ? »

Naturellement, Reinbach ne répond pas. Le commissaire poursuit :

« Aussi, quand les médecins ont conseillé à M. Alméri un séjour au bord du lac, vous vous êtes arrangés pour l'accompagner en Savoie, résolus à supprimer non seulement le père, mais la fille. Naturellement, pour égarer les soupçons, toutes les précautions étaient prises. Dans les deux cas, vous n'useriez pas du même procédé. Il est en effet difficile de faire mourir, de maladie, une jeune fille en pleine santé, n'est-ce pas ? Cependant, vous avez préféré la supprimer, elle d'abord, pour deux raisons que je devine : la première parce que, en cas d'enquête par la police, celle-ci serait moins tentée de vous soupçonner puisque l'héritage de l'entreprise ne pouvait vous revenir, le père étant toujours vivant ; la seconde parce que la disparition de Saga serait un tel coup pour M. Alméri, déjà affaibli par le poison, que cela l'achèverait. Vous avez donc imaginé un accident dont elle serait la victime. Par un hasard tout à fait extraordinaire, aux trois tentatives, c'est le matelot du yacht qui a failli en faire les frais. Pour la noyade manquée, c'est clair, vous vous êtes trompés de victime. Pour l'accident de voiture, vous avez failli réussir... mieux que cela même, puisque deux personnes auraient pu être tuées, ce que vous espériez, sans doute, pour mieux égarer les soupçons ? Enfin, pour la baignoire, il s'en est fallu d'un rien... car vous connaissiez les habitudes de

Mlle Saga, n'est-ce pas, madame Reinbach ? Vous saviez qu'elle prenait habituellement une douche, à la fin de son bain. Mais la Providence veillait... sous la forme de Victor, de ces six garçons et de Mady, que vous appelez des vauriens, et dont l'intervention intelligente a fait échouer votre sinistre plan.

— Oh ! oui, s'écrie Saga en larmes, ce sont eux, avec Victor et le brave chien Kafi, qui nous ont sauvés ! »

La minute est bouleversante. À bout d'émotion, délivrée d'un terrible cauchemar, Saga embrasse Mady et pleure sur son épaule. Puis elle réunit nos mains pour les presser avec chaleur dans les siennes. Enfin, elle caresse mon brave Kafi. Notre soulagement éclate. Totor sort un immense mouchoir à carreaux pour s'essuyer les yeux et le petit Gnafron, qui a perdu le sien, cueille ses larmes de joie d'un revers de main.

Reinbach et sa femme, eux, sont restés immobiles, raides, mais la tête baissée. Leur silence les accable. Le commissaire fait signe à deux policiers de les conduire vers la voiture qui stationne à l'entrée du parc.

Délivrés de leur odieuse présence, nous entourons le fauteuil de M. Alméri, aux pieds duquel Saga s'est jetée à genoux.

« À présent, mon cher papa, oublie ce qui s'est passé, oublie cette horrible nuit ! Bientôt, tout cela ne sera plus qu'un mauvais souvenir. Regarde ! tu n'as plus que des amis autour de toi, des amis qui souhaitent ta guérison avec autant de force que moi.

— Oui, des amis, fait-il en souriant faiblement, que des amis. »

Il nous regarde l'un après l'autre, sans oublier Kafi qui cherche à lécher sa main.

« Ils nous ont sauvé la vie, ma petite Saga. Jamais nous ne saurons assez les remercier... »

Chapitre 17

La vie de château

Un mois déjà, depuis la poursuite, en pleine nuit, du bateau fantôme. Depuis longtemps Mady et sa mère auraient dû être de retour à Lyon... nous aussi d'ailleurs. Pourtant, nous sommes toujours en Savoie où nous menons la vie de château.

Oui, la vie de château. Après l'arrestation des Reinbach, Saga et son père n'ont pas voulu rester seuls à *Bella Vista*. Ils nous ont invités à nous y installer à leurs côtés.

Sur le coup, gênés par une pareille proposition, nous avons hésité.

« Si, a insisté Saga. Je suis sûre que votre présence aidera beaucoup papa à se remettre. »

Ainsi, nous voilà à *Bella Vista* où Mady et sa mère occupent l'ancienne chambre de Mme Reinbach. Comme nous le proposait Saga, la bande des Compagnons aurait pu se partager les autres chambres encore libres, mais nous avions tant l'habitude d'être ensemble ! Nous avons préféré, tout bonnement, pour le plus grand amusement de

Saga, installer nos sacs de couchage dans la salle du billard... où Totor qui ne tenait pas à rester seul, là-haut, sous les toits, est venu nous rejoindre.

Ah ! si nous avions pensé que les simples « gones[1] » de la Croix-Rousse que nous sommes finiraient leurs vacances dans un château des rives du Léman !

Au début, bien sûr, nous avons été plutôt intimidés. La simplicité, la gentillesse de Saga et de son père nous ont vite mis à l'aise... et Kafi a fini par trouver très agréable de se coucher, en rond, sur de moelleux tapis.

Très vite aussi, nous avons eu l'immense joie de voir M. Alméri se rétablir. Bien soigné, entouré de sa fille et de tous ses enfants, comme il se plaît à nous appeler, il a retrouvé à la fois forces et gaieté.

« Un miracle, redisait-il, vous avez accompli un miracle ! »

Hélas ! À présent que sa convalescence touche à sa fin, il doit regagner la Lorraine où des affaires urgentes l'attendent... et nous notre Croix-Rousse. Il repartira après-demain avec Saga. Mais aujourd'hui, pour ce dernier dimanche, il a tenu à réunir tous ceux qui, de près ou de loin, ont contribué à l'heureux dénouement de cette sombre affaire. Un repas de « famille », comme dit Saga, nous attend dans la salle à manger. Malgré ses dimensions, cette belle pièce se révèle presque petite. Pensez donc ! nous sommes seize... sans compter Kafi. En plus de nous six, il y a, bien sûr, Mady et sa mère, ensuite Totor (qui a retrouvé

---

1. Surnom qu'on donne aux gamins de Lyon

depuis longtemps son sourire et qui arbore, pour cette grande occasion, un complet neuf à carreaux), puis le jardinier et sa femme, accompagnés de leur fils, un garçonnet de neuf ans, complètement remis de sa grave maladie et que son père couve d'un regard attendrissant.

Enfin est également présent le laborantin de Thonon... et, mieux encore, notre père Tap-Tap. Cher père Tap-Tap ! De tous, il est certainement le plus emprunté. Pour la première fois de sa vie, il porte une cravate et il a l'impression d'être étranglé. Dès le début du repas, il desserre ce nœud qui l'étouffe puis, s'apercevant de son « inconvenance », le resserre encore plus fort.

Mais, très vite, on oublie le protocole. Comme il fait très chaud en ce dimanche de fin août, M. Alméri invite ses hôtes à se mettre à l'aise. Il donne lui-même l'exemple en retirant son veston. Saisissant l'occasion, le père Tap-Tap entreprend d'enlever sa cravate. Le nœud si bien serré ne parvient pas à se défaire. Saga et Mady viennent en vain à son secours. Finalement, la mère de Mady doit couper la cravate neuve avec une paire de ciseaux, sous les rires de l'assemblée.

Le repas se poursuit, plein d'entrain. Pour ce beau jour, M. Alméri a interdit au jardinier et à sa femme de s'occuper de quoi que ce soit. Il a fait venir, d'Évian, une cuisinière et un maître d'hôtel. Ces deux inconnus intriguent beaucoup Kafi. Peut-être se demande-t-il s'il ne s'agit pas de Reinbach et de sa femme revenus à *Bella Vista* sous une autre forme ? Mais non ; ceux-là ne sont pas dangereux, puisque tout le monde rit et s'amuse.

M. Alméri a également souhaité qu'au cours de

cette petite fête ne soient pas évoqués les événements du mois dernier. On parle donc de tout autre chose, des beautés grandioses de la Savoie, des charmes reposants du lac.

Et justement, puisque le lac tient une si grande place dans ce décor merveilleux, M. Alméri et sa fille ont pensé qu'une promenade à bord du yacht ferait plaisir à tout le monde. Le repas terminé, Saga propose :

« Si nous montions sur le *Caprice* ? Nous suivrions la rive française jusqu'au fond du Léman puis nous reviendrions par la Suisse.

Nous approuvons en battant des mains. Totor court troquer son complet à carreaux, qui le gêne un peu, contre son jersey de matelot et prend place au gouvernail.

« Et en avant, toute !... »

Jamais nous n'avons vu le lac aussi limpide, le ciel aussi pur ! Une multitude de voiles blanches sillonnent l'immense étendue nacrée. Saga et Mady sont venues me rejoindre, à l'arrière, où je me tiens avec Kafi. Ensemble, nous regardons s'éloigner la claire silhouette de *Bella Vista* et ses hauts toits d'ardoise.

« Les gens du pays avaient bien raison de l'appeler le château maudit, murmure Mady.

— C'est vrai, répond Saga... mais à présent, grâce à vous, le mauvais sort est conjuré. Désormais, ce sera le château des vacances heureuses. »

Et se penchant vers Kafi :

« N'est-ce pas, mon bon chien ?... »

Table

Composition *Jouve* – 53100 Mayenne

Imprimé en France par Qualibris *(J-L)*

dépôt légal : juin 2007
20.07.0348.1/09   ISBN : 978-2-01-200348-4

*Loi n° 49-956 du 16 juillet 1949
sur les publications destinées à la jeunesse*